5·2

Chunjae
Makes
Chunjae

▼

[수학 단원평가]

기획총괄   박금옥
편집개발   지유경, 정소현, 조선영
           최윤석, 김장미, 유혜지
디자인총괄 김희정
표지디자인 윤순미, 여화경
내지디자인 박희춘
제작   황성진, 조규영

발행일   2022년 4월 15일 2판 2024년 4월 15일 3쇄
발행인   (주)천재교육
주소   서울시 금천구 가산로9길 54
신고번호   제2001-000018호
고객센터   1577-0902

수의 범위와 어림하기

수의 범위와 어림하기

개념 ① 이상과 이하

● 40 이상인 수: 40, 41, 43, 45 등과 같이 40과 같거나 큰 수

37 38 39 40 41 42 43 44 45 46

● 11 이하인 수: 11.0, 10.8, 8.0, 7.5 등과 같이 [**❶**]과 같거나 작은 수

5 6 7 8 9 10 11 12 13 14

개념 ② 초과와 미만

● 21 초과인 수: 21.4, 23.1, 24.0 등과 같이 21보다 큰 수

18 19 20 21 22 23 24 25 26 27

● 143 미만인 수: 142.8, 141.0, 139.2 등과 같이 [**❷**]보다 작은 수

137 138 139 140 141 142 143 144 145 146

개념 ③ 수의 범위를 활용하여 문제 해결하기

● 수의 범위를 수직선에 나타내기

(1) 6 이상 9 이하인 수

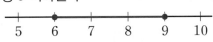

5   6   7   8   9   10

(2) 6 이상 9 미만인 수

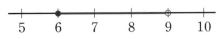

5   6   7   8   9   10

(3) 6 초과 9 이하인 수

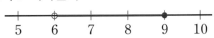

5   6   7   8   9   10

(4) 6 초과 9 미만인 수

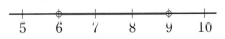

5   6   7   8   9   10

개념 ④ 올림

● 올림: 구하려는 자리 아래 수를 올려서 나타내는 방법

올림하여 십의 자리까지 나타내면

$162 \rightarrow$ [**❸**]

십의 자리 아래 수인 2를 10으로 보고 170으로 나타낼 수 있습니다.

올림하여 백의 자리까지 나타내면

$162 \rightarrow 200$

개념 ⑤ 버림

● 버림: 구하려는 자리 아래 수를 버려서 나타내는 방법

버림하여 십의 자리까지 나타내면

$816 \rightarrow$ [**❹**]

십의 자리 아래 수인 6을 0으로 보고 810으로 나타낼 수 있습니다.

버림하여 백의 자리까지 나타내면

$816 \rightarrow 800$

개념 ⑥ 반올림

● 반올림: 구하려는 자리 바로 아래 자리의 숫자가 0, 1, 2, 3, 4이면 버리고 5, 6, 7, 8, 9이면 올리는 방법

반올림하여 십의 자리까지 나타내면

$5194 \rightarrow$ [**❺**]

반올림하여 백의 자리까지 나타내면

$5194 \rightarrow 5200$

개념 ⑦ 올림, 버림, 반올림을 활용하여 문제 해결하기

● 생활 속에서 올림, 버림, 반올림을 하는 경우

① 자판기에서 950원짜리 음료수 값을 올림하여 1000원짜리 지폐를 넣기도 합니다.

② 마트에서 15274원짜리 고기를 살 때 십 원 미만의 금액은 버림하여 15270원으로 계산하기도 합니다.

③ 영화 관람객 수를 반올림하여 몇천 명이라고 말할 수 있습니다.

| 정답 | ❶ 11 ❷ 143 ❸ 170 ❹ 810 ❺ 5190

01 키가 146 cm 이상인 학생의 키를 모두 써 보세요.

학생들의 키

이름	지민	윤서	희준	경민	선경
키(cm)	142.7	151.0	146.0	145.8	144.6

(   )

02 몸무게가 51 kg 이하인 학생의 몸무게를 모두 써 보세요.

학생들의 몸무게

이름	훈영	주은	명선	재철	정국
몸무게 (kg)	52.8	46.7	52.2	51.0	50.8

(   )

03 줄넘기 횟수가 115회 초과인 학생의 줄넘기 횟수를 모두 써 보세요.

학생들의 줄넘기 횟수

이름	유진	하준	영수	지영	현주
횟수 (회)	153	110	117	115	114

(   )

04 읽은 책 수가 20권 미만인 학생의 읽은 책 수를 모두 써 보세요.

학생들이 읽은 책 수

이름	민화	호현	수지	미주	선아
책 수 (권)	17	21	20	25	15

(   )

05 15 이상인 수에 모두 ○표, 15 이하인 수에 모두 △표 하세요.

| 13 | 14 | 15 | 16 | 17 |

06 26 초과인 수에 모두 ○표, 26 미만인 수에 모두 △표 하세요.

| 24 | 25 | 26 | 27 | 28 |

[07~10] 수의 범위를 수직선에 나타내어 보세요.

07 20 이상인 수

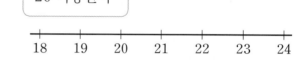

18 19 20 21 22 23 24

08 17 이하인 수

13 14 15 16 17 18 19

09 34 초과인 수

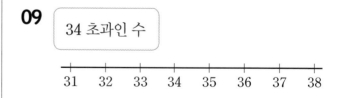

31 32 33 34 35 36 37 38

10 51 미만인 수

49 50 51 52 53 54 55

01 8 이상 10 이하인 수에 모두 ○표 하세요.

| 8 | 9 | 10 | 11 | 12 |

02 16 이상 19 미만인 수에 모두 ○표 하세요.

| 15 | 16 | 17 | 18 | 19 |

03 27 초과 30 이하인 수에 모두 ○표 하세요.

| 26 | 27 | 28 | 29 | 30 |

[04~05] 수의 범위를 수직선에 나타내어 보세요.

04

34 이상 36 미만인 수

```
├──┼──┼──┼──┼──┼──┼──┤
31  32  33  34  35  36  37  38
```

05

41 초과 44 이하인 수

```
├──┼──┼──┼──┼──┼──┤
40  41  42  43  44  45  46
```

[06~08] 수를 올림하여 주어진 자리까지 나타낸 수에 ○표 하세요.

06

243 (십의 자리)

(240 , 250 , 260)

07

521 (백의 자리)

(600 , 500 , 530)

08

3465 (백의 자리)

(3460 , 3470 , 3500)

09 41.5를 올림하여 일의 자리까지 나타내면 얼마인지 써 보세요.

(   )

10 65.08을 올림하여 소수 첫째 자리까지 나타내면 얼마인지 써 보세요.

(   )

[01~03] 수를 버림하여 주어진 자리까지 나타낸 수에 ○표 하세요.

01

361 (십의 자리)

(350 , 360 , 370)

02

489 (백의 자리)

(400 , 480 , 490)

03

8125 (백의 자리)

(8100 , 8130 , 8200)

04 46.18을 버림하여 소수 첫째 자리까지 나타내면 얼마인지 써 보세요.

(　　　　　　　)

05 9.234를 버림하여 소수 둘째 자리까지 나타내면 얼마인지 써 쪽세요.

(　　　　　　　)

[06~08] 수를 반올림하여 주어진 자리까지 나타내어 보세요.

06

수	십의 자리	백의 자리
1351		

07

수	백의 자리	천의 자리
1256		

08

수	십의 자리	천의 자리
4465		

[09~10] 길이를 반올림하여 주어진 자리까지 나타내어 보세요.

09 23.5 cm (일의 자리)

(　　　　　　　)

10 37.12 cm (소수 첫째 자리)

(　　　　　　　)

▶ 올림, 버림, 반올림을 활용하여 문제 해결하기

스피드 정답표 1쪽, 정답 및 풀이 16쪽

[01~03] 등산객 154명이 전망대에 오르려고 줄을 서 있습니다. 케이블카 한 대에 탈 수 있는 정원이 10명일 때 케이블카는 최소 몇 번 운행해야 하는지 구하려고 합니다. 물음에 답하세요.

01 올림, 버림, 반올림 중에서 알맞은 방법에 ○표 하세요.

(올림 , 버림 , 반올림)

02 154를 올림하여 십의 자리까지 나타내면 얼마인지 써 보세요.

( )

03 등산객 154명이 모두 전망대에 오르려면 케이블카는 최소 몇 번 운행해야 할까요?

( )

[04~06] 상자 한 개를 포장하는 데 끈이 100 cm 필요합니다. 끈 852 cm로 상자를 최대 몇 개까지 포장할 수 있는지 구하려고 합니다. 물음에 답하세요.

04 올림, 버림, 반올림 중에서 알맞은 방법에 ○표 하세요.

(올림 , 버림 , 반올림)

05 852를 버림하여 백의 자리까지 나타내면 얼마인지 써 보세요.

( )

06 끈 852 cm로 포장할 수 있는 상자는 최대 몇 개일까요?

( )

07 친구들의 키를 반올림하여 일의 자리까지 나타내어 보세요.

이름	키(cm)	반올림한 키(cm)
지선	162.7	
해철	158.3	
은호	158.6	

[08~10] 올림, 버림, 반올림 중에서 알맞은 방법에 ○표 하세요.

08
> 가게에서 10개씩 묶음으로 파는 물건이 25개 필요할 때 최소로 사야 하는 물건의 수를 구하는 경우

(올림 , 버림 , 반올림)

09
> 꽃 114송이를 이용하여 꽃을 10송이씩 묶어 꽃다발을 만들 때 최대로 만들 수 있는 꽃다발의 수를 구하는 경우

(올림 , 버림 , 반올림)

10
> 동전 11250원을 1000원짜리 지폐로 바꿀 때 바꿀 수 있는 최대 지폐의 수를 구하는 경우

(올림 , 버림 , 반올림)

단원 단원평가 1회 수의 범위와 어림하기 점수

스피드 정답표 1쪽, 정답 및 풀이 17쪽

[01~02] □ 안에 알맞은 말을 써넣으세요.

01

> 25, 26, 27 등과 같이 25와 같거나 큰 수를 25 □ 인 수라고 합니다.

02

> 11, 10, 9 등과 같이 12보다 작은 수를 12 □ 인 수라고 합니다.

03 42 이하인 수에 모두 ○표 하세요.

> 39   40   41   42   43

04 13 초과인 수에 모두 ○표 하세요.

> 11   12   13   14   15

05 수를 반올림하여 십의 자리까지 나타내어 보세요.

> 543

( )

06 수를 버림하여 백의 자리까지 나타낸 수를 써 보세요.

> 2480

( )

07 3476을 올림하여 백의 자리까지 나타낸 수는 어느 것일까요?·················· ( )

① 3400   ② 3460   ③ 3460

④ 3480   ⑤ 3500

[08~09] 희준이네 반 학생들의 키를 조사하여 나타낸 표입니다. 물음에 답하세요.

희준이네 반 학생들의 키

이름	희준	서화	재은	민기	명철
키(cm)	146.0	145.5	143.9	152.0	147.3

08 키가 146 cm와 같거나 큰 학생의 이름을 모두 써 보세요.

(　　　　　　　　　　)

09 키가 146 cm 이상인 학생의 키를 모두 써 보세요.

(　　　　　　　　　　)

10 수직선에 나타낸 수의 범위를 써 보세요.

33 34 35 36 37 38 39 40 41 42

(　　　　　　　　　　)

11 올림하여 주어진 자리까지 나타내어 보세요.

수	십의 자리	백의 자리
235		
4857		

12 버림하여 주어진 자리까지 나타내어 보세요.

수	십의 자리	백의 자리
169		
5718		

[13~14] 수를 보고 물음에 답하세요.

28　　44　　51　　35　　25

13 44 초과인 수를 찾아 써 보세요.

(　　　　　　　　　　)

14 28 이상 35 미만인 수를 찾아 써 보세요.

(　　　　　　　　　　)

15 경민이는 체험활동으로 한옥마을에 갔습니다. 이 한옥마을의 사람 수를 반올림하여 천의 자리까지 나타내어 보세요.

이 마을 사람들은 모두 4926명이야.

경민

(   )

16 수의 범위를 수직선에 나타내어 보세요.

20 이상 70 미만인 수

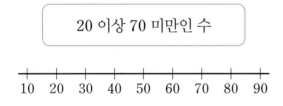

```
10   20   30   40   50   60   70   80   90
```

17 수직선에 나타낸 수의 범위에 포함되지 <u>않는</u> 수를 모두 고르세요. ……… (   )

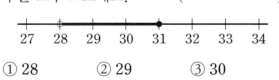

```
27   28   29   30   31   32   33   34
```

① 28   ② 29   ③ 30
④ 31   ⑤ 32

[18~19] 사탕 바구니 한 개를 만드는 데 100 cm의 끈이 필요합니다. 끈 430 cm로 사탕 바구니를 최대 몇 개까지 만들 수 있는지 구하려고 합니다. 물음에 답하세요.

18 올림, 버림, 반올림 중에서 알맞은 방법에 ○표 하세요.

(올림 , 버림 , 반올림)

19 끈 430 cm로 사탕 바구니를 최대 몇 개까지 만들 수 있을까요?

(   )

20 사과 723상자를 트럭에 모두 실으려고 합니다. 트럭 한 대에 100상자씩 실을 수 있을 때 트럭은 최소 몇 대 필요할까요?

(   )

스피드 정답표 1쪽, 정답 및 풀이 17쪽

01 40 미만인 수는 어느 것일까요? ·· (   )

① 39   ② 40   ③ 41

④ 42   ⑤ 43

02 28 이상인 수를 모두 찾아 써 보세요.

26   27   28   29   30   31

(   )

03 수를 버림하여 백의 자리까지 나타내어 보세요.

8956

(   )

04 수를 올림하여 천의 자리까지 나타내어 보세요.

84005

(   )

[05~06] 예슬이네 반 학생들이 한 학기 동안 읽은 책 수를 나타낸 표입니다. 물음에 답하세요.

예슬이네 반 학생들이 읽은 책 수

이름	예슬	찬희	다영	주한	사랑
책 수 (권)	28	24	17	10	31

05 한 학기 동안 읽은 책이 24권보다 많은 학생의 이름을 모두 써 보세요.

(   )

06 한 학기 동안 읽은 책이 24권 초과인 학생의 책 수를 모두 써 보세요.

(   )

07 8 미만인 수를 수직선에 바르게 나타낸 것은 어느 것일까요? ·················· (   )

①
```
  +----+----+----+----⊕----+----+----+
  5    6    7    8    9   10   11
```

②
```
  ●━━━━━━━━━━━━━━━●----+----+----+
  5    6    7    8    9   10   11
```

③
```
  ●━━━━━━━━━━━━━━━⊕----+----+----+
  5    6    7    8    9   10   11
```

④
```
  ━━━━━━━━━━━━━━━━●----+----+----+
  5    6    7    8    9   10   11
```

⑤
```
  +----+----⊕━━━━━━━━━⊕----+----+
  5    6    7    8    9   10   11
```

[08~09] 유경이네 반 학생들의 몸무게를 나타낸 표입니다. 물음에 답하세요.

유경이네 반 학생들의 몸무게

이름	몸무게(kg)	이름	몸무게(kg)
유경	38.5	해솔	47.1
진용	50.2	수철	40.0
재희	41.7	보람	34.6

08 몸무게가 40 kg과 같거나 가벼운 학생의 이름을 모두 써 보세요.

( )

09 몸무게가 40 kg 이하인 학생의 몸무게를 모두 써 보세요.

( )

10 수직선에 나타낸 수의 범위를 써 보세요.

11 12 13 14 15 16 17 18 19

( )

11 5 이하인 수에 모두 ○표, 19 이상인 수에 모두 △표 하세요.

2	5	7	12
14	16	19	25

12 대화를 읽고 바르게 말한 사람의 이름을 써 보세요.

( )

[13~14] 수의 범위를 수직선에 나타내어 보세요.

13
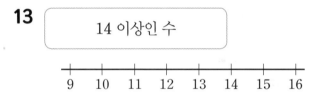

14 이상인 수

9 10 11 12 13 14 15 16

14
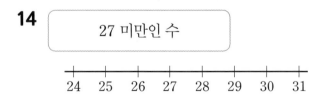

27 미만인 수

24 25 26 27 28 29 30 31

15 올림하여 십의 자리까지 바르게 나타낸 것은 어느 것일까요? ················ (   )

① 2560 → 2600   ② 3751 → 3850

③ 9568 → 9600   ④ 7582 → 7590

⑤ 4387 → 4400

16 반올림하여 주어진 자리까지 나타내어 보세요.

수	1758
십의 자리	
백의 자리	
천의 자리	

17 USB의 길이는 몇 cm인지 반올림하여 일의 자리까지 나타내어 보세요.

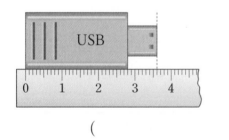

(   )

[18~19] 153개의 귤을 봉지에 10개씩 담을 때 귤을 모두 담기 위해 최소 몇 개의 봉지가 필요한지 구하려고 합니다. 물음에 답하세요.

18 올림, 버림, 반올림 중에서 알맞은 방법에 ○표 하세요.

(올림 , 버림 , 반올림)

19 귤을 모두 담기 위해 필요한 봉지는 최소 몇 개일까요?

(   )

20 희경이는 서점에서 15800원짜리 책을 한 권 샀습니다. 1000원짜리 지폐로만 책값을 낸다면 최소 얼마를 내야 할까요?

(   )

01 수를 올림하여 천의 자리까지 나타내어 보세요.

3598

( )

02 미란이네 모둠이 1분 동안 한 줄넘기 횟수를 나타낸 표입니다. 줄넘기를 한 횟수가 45회 초과인 학생은 누구일까요?

미란이네 모둠의 줄넘기 횟수

이름	횟수(회)	이름	횟수(회)
미란	28	영준	29
영준	45	다혜	33
미란	38	세윤	51

( )

03 13 초과 18 미만인 수를 모두 찾아 써 보세요.

13 15 17 19 20 24

( )

04 19 이상인 수를 수직선에 바르게 나타낸 것은 어느 것일까요? ·············· ( )

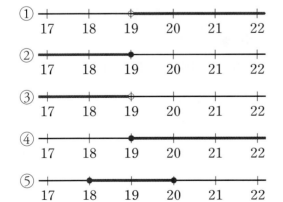

05 36 초과인 수를 모두 찾아 써 보세요.

28	38	40	18
32	21	36	46

( )

06 28 이하인 수가 <u>아닌</u> 수를 모두 고르세요.
··················· ( )

① 29　　　② 27.1　　　③ 28
④ 28.5　　⑤ 26.9

07 수직선에 나타낸 수의 범위에 포함되지 <u>않는</u> 수를 고르세요. ················ ( )

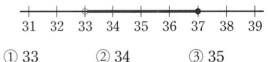
31　32　33　34　35　36　37　38　39

① 33　　　② 34　　　③ 35
④ 36　　　⑤ 37

08 ㉠과 ㉡에 알맞은 수를 구한 후 크기를 비교하여 ○ 안에 >, =, <를 알맞게 써넣으세요.

> ㉠ 2390을 올림하여 백의 자리까지 나타낸 수
> ㉡ 2454를 버림하여 백의 자리까지 나타낸 수

㉠ [　　] ○ ㉡ [　　]

09 반올림하여 십의 자리까지 나타내면 80이 되는 수를 모두 찾아 ○표 하세요.

| 73 82 90 74 75 86 |

[10~11] 석진이네 학교 남자 태권도 선수들의 몸무게와 체급에 따른 선수들의 몸무게 범위를 나타낸 표입니다. 물음에 답하세요.

석진이네 학교 남자 태권도 선수들의 몸무게

이름	석진	재현	민준	정민	지민
몸무게 (kg)	36.8	39.5	33.1	37.6	38.0

체급별 몸무게(초등학교 남학생용)

체급	몸무게(kg)
핀급	32 이하
플라이급	32 초과 34 이하
밴텀급	34 초과 36 이하
페더급	36 초과 39 이하
라이트급	39 초과

(출처: 초등부 고학년부(5, 6학년) 남자, 대한 태권도 협회 2017.)

10 석진이와 같은 체급에 속한 학생들의 이름을 모두 써 보세요.

(　　　　　　　　　)

11 민준이가 속한 체급의 몸무게 범위를 수직선에 나타내어 보세요.

┼──┼──┼──┼──┼──┼──┼──┼
32　33　34　35　36　37　38　39

12 43이 포함되는 수의 범위를 모두 찾아 기호를 써 보세요.

> ㉠ 43 이상인 수
> ㉡ 44 미만인 수
> ㉢ 42 이하인 수

(　　　　　　　　　)

13 다음 수를 반올림하여 십의 자리까지 나타내면 4640이 됩니다. □ 안에 들어갈 수 있는 일의 자리 숫자를 모두 써 보세요.

| 463□ |

(　　　　　　　　　)

14 ○○항공사는 수하물의 무게가 20 kg을 초과할 때 요금을 더 내야 합니다. 요금을 더 내야 하는 수하물을 모두 찾아 기호를 써 보세요.

수하물의 무게

수하물	㉠	㉡	㉢	㉣	㉤
무게(kg)	19.8	21.3	15.4	28.5	10.6

(　　　　　　　　　)

15 '15세 이상 관람가'인 영화가 있습니다. 이 영화를 볼 수 있는 학생을 모두 찾아 이름을 써 보세요.

학생들의 나이

이름	민서	윤호	지아	준혁
나이(세)	12	15	16	14

( )

16 어느 동물원은 10세 이상 60세 미만의 입장객에게만 입장료를 받습니다. 입장료를 내야 하는 사람의 나이의 범위를 수직선에 나타내어 보세요.

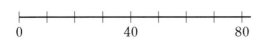

17 리본 하나를 만드는 데 색 테이프가 10 cm 필요합니다. 148 cm의 색 테이프로 만들 수 있는 리본은 최대 몇 개일까요?

( )

18 버림하여 백의 자리까지 나타내면 5200이 되는 자연수 중에서 가장 큰 수를 구하세요.

( )

서술형

19 지민이네 반 학생들이 종이접기를 하는 데 467장의 색종이가 필요합니다. 색종이가 한 묶음에 100장씩 들어 있다면 색종이를 최소 몇 묶음 사야 하는지 풀이 과정을 쓰고 답을 구하세요.

풀이

답 _____

20 수를 올림하여 천의 자리까지 나타낸 수와 올림하여 십의 자리까지 나타낸 수의 차를 구하세요.

5824

( )

[01~02] 수를 보고 물음에 답하세요.

60	1.25	39.4
37	3.75	5.8

01 39.4 초과인 수를 찾아 써 보세요.

(   )

02 5.5 미만인 수를 모두 찾아 써 보세요.

(   )

03 수직선에 나타낸 수의 범위는 어느 것일까요?
·······································(   )

45 46 47 48 49 50 51 52 53 54

① 52 이상인 수   ② 52 이하인 수
③ 52 초과인 수   ④ 52 미만인 수
⑤ 45 이상 52 이하인 수

04 18 초과 20 이하인 수는 모두 몇 개일까요?

20	21	20.1	18.3	20.04

(   )

05 버림하여 십의 자리까지 나타낸 수가 가장 작은 수가 되는 카드를 들고 있는 학생의 이름을 써 보세요.

1706   1647   1763   1690
민수   소라   동엽   승희

(   )

06 수의 범위를 수직선에 나타내어 보세요.

46 이상 49 미만인 수

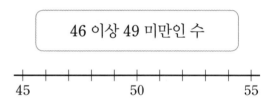

45   50   55

07 수를 올림, 버림, 반올림하여 백의 자리까지 나타내어 보세요.

수	올림	버림	반올림
7638			

08 가희네 모둠 학생들의 키를 나타낸 표입니다. 키를 반올림하여 일의 자리까지 나타내어 보세요.

가희네 모둠 학생들의 키

이름	키(cm)	반올림한 키(cm)
가희	138.7	
교영	140.3	
정민	146.8	

[09~10] 예은이네 모둠 학생들의 키를 나타낸 표입니다. 물음에 답하세요.

예은이네 모둠 학생들의 키

이름	키(cm)	이름	키(cm)
예은	142.3	현지	148.0
재민	151.2	재훈	150.0
민정	145.7	미영	148.9

09 키가 148 cm 미만인 학생의 이름을 모두 찾아 써 보세요.

( )

10 키가 150 cm 초과인 사람만 농구부에 들어갈 수 있다고 합니다. 농구부에 들어갈 수 있는 학생의 이름을 써 보세요.

( )

11 반올림하여 백의 자리까지 나타내면 300이 되는 수를 모두 찾아 써 보세요.

| 249 | 345 | 350 | 290 |

( )

12 58을 포함하는 수의 범위를 모두 찾아 기호를 써 보세요.

㉠ 56 이상 59 미만인 수
㉡ 58 초과 60 이하인 수
㉢ 55 초과 58 미만인 수
㉣ 57 이상 58 이하인 수

( )

13 다음 수를 올림하여 백의 자리까지 나타내면 2400입니다. ㉠, ㉡에 알맞은 수를 구하세요.

㉠㉡45

㉠ ( )
㉡ ( )

14 통과 제한 높이가 2 m 미만인 도로가 있습니다. 이 도로 아래를 통과할 수 있는 자동차를 모두 찾아 기호를 써 보세요.

자동차	㉠	㉡	㉢	㉣	㉤
높이(cm)	185	225	210	150	190

( )

15 어느 마트의 사용 요금에 따른 사은품을 나타낸 표입니다. 24300원어치 물건을 샀다면 받는 사은품은 무엇일까요?

사용 요금별 사은품

사용 요금(원)	사은품
10000 이하	치약
10000 초과 25000 이하	화장지
25000 초과	식용유

(   )

16 반올림하여 천의 자리까지 나타내면 5000이 되는 자연수 중에서 가장 큰 수는 어느 것일까요? ························· (   )

① 5900   ② 4500   ③ 4999

④ 5499   ⑤ 5004

17 명한이는 돼지 저금통에 동전을 54700원 모았습니다. 이 돈을 1000원짜리 지폐로만 바꾼다면 최대 얼마까지 바꿀 수 있을까요?

(   )

18 민구네 과수원에서 배를 630개 땄습니다. 이 배를 한 상자에 100개씩 넣어 상자 단위로 팔려고 합니다. 팔 수 있는 배는 최대 몇 개일까요?

(   )

19 어떤 자연수에 9를 곱해서 나온 수를 버림하여 십의 자리까지 나타내었더니 60이 되었습니다. 어떤 자연수를 구하세요.

(   )

서술형

20 석재네 학교의 4학년 학생은 295명입니다. 학생들이 강당에 모두 앉을 수 있도록 10명씩 앉을 수 있는 긴 의자를 놓으려고 합니다. 필요한 의자는 최소 몇 개인지 풀이 과정을 쓰고 답을 구하세요.

풀이

답 _____

01 서윤이네 모둠 학생들의 몸무게를 나타낸 표입니다. 몸무게를 반올림하여 일의 자리까지 나타내어 보세요.

이름	몸무게(kg)	반올림한 몸무게(kg)
서윤	47.8	
민우	40.5	
용하	38.3	

02 어림한 수의 크기를 비교하여 ○ 안에 >, =, <를 알맞게 써넣으세요.

| 468을 반올림하여 십의 자리까지 나타낸 수 | ○ | 458을 반올림하여 백의 자리까지 나타낸 수 |

03 수의 범위를 수직선에 나타내어 보세요.

33 이상 38 미만인 수

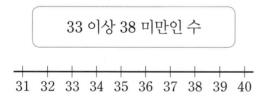

31 32 33 34 35 36 37 38 39 40

04 올림하여 십의 자리까지 나타내면 5630이 되는 수는 어느 것일까요?………( )

① 5640   ② 5631   ③ 5624
④ 5530   ⑤ 5721

05 반올림하여 천의 자리까지 나타낸 수가 <u>다른</u> 하나는 어느 것일까요?………( )

① 35000   ② 34599   ③ 34601
④ 34790   ⑤ 35500

06 정원이 45명인 버스에 다음과 같이 사람이 탔습니다. 정원을 초과한 버스는 모두 몇 대일까요?

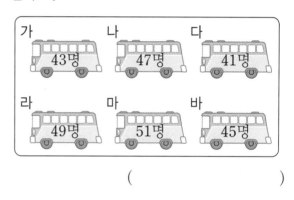

가 43명   나 47명   다 41명
라 49명   마 51명   바 45명

( )

07 10 이상 13 이하인 자연수를 모두 더하면 얼마일까요?

( )

08 수의 범위에 속하는 자연수가 가장 많은 것은 어느 것일까요?………( )

① 15 이상 25 미만인 수
② 15 이상 25 이하인 수
③ 15 초과 25 미만인 수
④ 15 초과 25 이하인 수
⑤ 16 이상 26 미만인 수

09 49762를 어림하여 나타낸 것입니다. 어림을 <u>잘못한</u> 학생은 누구일까요?

> 정현: 버림하여 백의 자리까지 나타내기
> ⇨ 49700
>
> 수아: 반올림하여 천의 자리까지 나타내기
> ⇨ 49000
>
> 재식: 올림하여 천의 자리까지 나타내기
> ⇨ 50000

( )

10 수를 올림하여 백의 자리까지 나타낸 수와 반올림하여 백의 자리까지 나타낸 수가 <u>다른</u> 수를 모두 찾아 써 보세요.

| 475 | 385 | 240 | 320 | 459 |

( )

11 어떤 자연수를 반올림하여 십의 자리까지 나타내었더니 90이 되었습니다. 어떤 수가 될 수 있는 수의 범위를 이상과 미만을 사용하여 나타내어 보세요.

( )

12 편지의 무게에 따른 요금을 나타낸 것입니다. 편지를 보내는 데 330원을 냈을 때 편지 무게의 범위를 수직선에 나타내어 보세요.

편지 무게별 요금

무게(g)	우편 요금
5 초과 25 이하	330원
25 초과 50 이하	350원
50 초과 100 이하	540원

```
  ├─┼─┼─┼─┼─┼─┼─┼─┼─┤
  5 10 15 20 25 30 35 40 45 50
```

13 수 카드 4장을 한 번씩만 사용하여 만든 가장 큰 네 자리 수를 반올림하여 백의 자리까지 나타내어 보세요.

| 1 | 3 | 4 | 6 |

( )

14 어림하는 방법이 <u>다른</u> 것을 찾아 기호를 써 보세요.

> ㉠ 동전 3670원을 1000원짜리 지폐로만 바꾼다면 얼마까지 바꿀 수 있을까요?
> ㉡ 42.5 kg인 몸무게를 1 kg 단위로 가까운 쪽의 눈금을 읽으면 몇 kg일까요?
> ㉢ 귤 2950개를 100개씩 상자에 담아 포장한다면 몇 개까지 포장할 수 있을까요?

( )

15 트럭 한 대에 책상 10개를 실을 수 있습니다. 318개의 책상을 모두 싣기 위해서는 트럭이 최소 몇 대 필요할까요?

( )

16 □ 안에 알맞은 자연수를 구하세요.

> □ 미만인 자연수는 8개입니다.

( )

서술형

17 두 수의 범위에 공통으로 속하는 자연수를 모두 구하려고 합니다. 풀이 과정을 쓰고 답을 구하세요.

```
●————————○
34              41
○————————●
38              45
```

풀이

답 _____

18 어느 도시의 버스 요금을 나타낸 것입니다. 11세인 지아와 15세인 언니가 함께 버스를 타면 요금으로 모두 얼마를 내야 할까요?

버스 요금

어른	1100원
청소년	850원
어린이	550원

• 어린이: 8세 이상 13세 이하
• 청소년: 14세 이상 19세 이하

( )

19 어느 공원 주차장의 주차 요금을 나타낸 것입니다. 75분 동안 주차하면 주차 요금은 얼마일까요?

<주차 요금>
기본 1시간 요금: 3000원
1시간 초과시
5분마다 1000원

( )

서술형

20 준서네 학교 5학년 학생들이 민속촌에 가려면 45인승 버스가 4대 필요하다고 합니다. 준서네 학교 5학년 학생은 몇 명 이상 몇 명 이하인지 풀이 과정을 쓰고 답을 구하세요.

풀이

답 _____

스피드 정답표 2쪽, 정답 및 풀이 20쪽

01 민서네 모둠 학생들의 몸무게를 나타낸 표입니다. 씨름 경기에서 초등학생 용사급 몸무게는 55 kg 초과 60 kg 이하입니다. 용사급에 해당하는 학생은 몇 명인지 구하세요.

민서네 모둠 학생들의 몸무게

이름	민서	현종	정민	준호	한철	명우
몸무게(kg)	52.5	61.2	60.0	55.3	58.7	56.9

❶ 몸무게가 55 kg 초과 60 kg 이하인 학생의 몸무게를 모두 써 보세요.

55 초과 60 이하인 수는 □ 보다 크고 □ 과 같거나 작은 수이므로 55 kg 초과

60 kg 이하인 몸무게는 □ kg, □ kg, □ kg, □ kg입니다.

( )

❷ 몸무게가 55 kg 초과 60 kg 이하인 학생의 이름을 모두 써 보세요.

( )

❸ 용사급에 해당하는 학생은 몇 명일까요?

( )

02 수직선에 나타낸 수의 범위에 속하는 수 중 가장 큰 자연수를 구하세요.

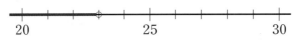

❶ 수직선에 나타낸 수의 범위를 써 보세요.

수직선에 나타낸 수는 □ 보다 (큰 , 작은) 수이므로

□ (이상 , 이하 , 초과 , 미만)인 수입니다.

( )

❷ 수직선에 나타낸 수의 범위에 속하는 수 중 가장 큰 자연수를 구하세요.

( )

03 수를 올림하여 백의 자리까지 나타낸 수와 버림하여 천의 자리까지 나타낸 수의 차를 구하세요.

14125

❶ 14125를 올림하여 백의 자리까지 나타낸 수를 구하세요.

백의 자리 아래 수인 25를 [   ]으로 보고 올림하면 [   ]입니다.

(   )

❷ 14125를 버림하여 천의 자리까지 나타낸 수를 구하세요.

천의 자리 아래 수인 125를 [   ]으로 보고 버림하면 [   ]입니다.

(   )

❸ 14125를 올림하여 백의 자리까지 나타낸 수와 버림하여 천의 자리까지 나타낸 수의 차를 구하세요.

(   )

04 수 카드 4장을 한 번씩만 사용하여 가장 큰 네 자리 수를 만들고, 만든 네 자리 수를 반올림하여 백의 자리까지 나타내어 보세요.

[7]   [5]   [2]   [6]

❶ 수 카드 4장을 한 번씩만 사용하여 가장 큰 네 자리 수를 만들어 보세요.

높은 자리에 큰 숫자부터 차례대로 놓으면 [ ][ ][ ][ ]입니다.

(   )

❷ ❶에서 만든 네 자리 수를 반올림하여 백의 자리까지 나타내어 보세요.

백의 자리 바로 아래 자리 숫자가 [   ]이므로 (올림 , 버림)을 이용합니다.

(   )

01 어느 날 우리나라 도시별 기온을 조사하여 나타낸 표입니다. 기온이 12 ℃ 초과 14 ℃ 이하인 도시는 모두 몇 곳인지 풀이 과정을 쓰고 답을 구하세요.

도시별 기온

도시	서울	대전	부산	춘천	광주	제주
기온(℃)	13.1	13.0	16.4	10.3	14.5	17.9

풀이

답 _____

🔍 **어떻게 풀까요?**

• 12 초과 14 이하인 수는 12보다 크고 14와 같거나 작은 수입니다.

02 수직선에 나타낸 수의 범위에 속하는 수 중 가장 작은 자연수는 얼마인지 풀이 과정을 쓰고 답을 구하세요.

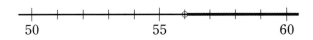

풀이

답 _____

🔍 **어떻게 풀까요?**

• 수직선에서 점 ●은 이상, 이하를 나타내고 점 ○은 초과, 미만을 나타냅니다.

03 61574를 올림하여 백의 자리까지 나타낸 수와 버림하여 천의 자리까지 나타낸 수의 차는 얼마인지 풀이 과정을 쓰고 답을 구하세요.

풀이

답 _____

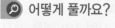

어떻게 풀까요?

• 올림하여 백의 자리까지 나타내려면 백의 자리 아래 수를 100으로 보고 올립니다.

• 버림하여 천의 자리까지 나타내려면 천의 자리 아래 수를 0으로 보고 버립니다.

04 수 카드 4장을 한 번씩만 사용하여 가장 큰 네 자리 수를 만들고, 만든 네 자리 수를 반올림하여 백의 자리까지 나타내면 얼마인지 풀이 과정을 쓰고 답을 구하세요.

6   3   9   4

풀이

답 _____

어떻게 풀까요?

• 반올림하여 백의 자리까지 나타낼 때 십의 자리 숫자가 0, 1, 2, 3, 4이면 버리고 5, 6, 7, 8, 9이면 올립니다.

05 어떤 자연수를 반올림하여 십의 자리까지 나타내었더니 420이 되었습니다. 어떤 수가 될 수 있는 수의 범위를 이상과 미만을 사용하여 나타내려고 합니다. 풀이 과정을 쓰고 답을 구하세요.

풀이

답 _____

어떻게 풀까요?

• 반올림하여 십의 자리까지 나타내면 420이 되는 수는 일의 자리 숫자가 0, 1, 2, 3, 4인 경우와 5, 6, 7, 8, 9인 경우로 나누어 생각해 봅니다.

스피드 정답표 3쪽, 정답 및 풀이 21쪽

오답률 19%

01 희정이는 사탕 168개를 가지고 있습니다. 한 봉지에 10개씩 담아서 친구들에게 나누어 준다면 최대 몇 명의 친구들에게 나누어 줄 수 있을까요?

(   )

오답률 20%

02 다음을 올림하여 소수 첫째 자리까지 나타낸 것은 어느 것일까요? ·················· (   )

8.23

① 8   ② 8.2   ③ 8.3
④ 8.23   ⑤ 8.33

오답률 25%

03 버림하여 백의 자리까지 나타내면 4300이 되는 자연수 중에서 가장 큰 수를 고르세요.
··························· (   )

① 4400   ② 4399   ③ 4299
④ 4355   ⑤ 4390

오답률 34%

04 수 카드 4장을 한 번씩만 사용하여 가장 큰 네 자리 수를 만들었습니다. 만든 네 자리 수를 반올림하여 십의 자리까지 나타내세요.

[7] [2] [5] [3]

(   )

오답률 57%

05 어림하는 방법이 <u>다른</u> 것을 찾아 기호를 쓰세요.

┌─────────────────────────┐
│ ㉠ 철사 130 cm가 필요할 때 1 m씩 판매 │
│   하는 경우 사야 할 철사의 길이   │
│ ㉡ 택배 상자 833개를 모두 실어야 할 때 │
│   한 대에 100상자씩 실을 수 있는 트럭 │
│   의 수   │
│ ㉢ 사탕 378개를 10개씩 봉지에 담아 판   │
│   매를 할 때 판매할 수 있는 봉지 수   │
└─────────────────────────┘

(   )

분수의 곱셈

개념 ① (분수)×(자연수)

● (단위분수)×(자연수)

$$\frac{1}{5} \times 2 = \frac{1 \times 2}{5} = \frac{2}{5}$$

→ 단위분수의 분자와 자연수를 곱하여 계산하기

● (진분수)×(자연수)

→ 분수의 곱셈을 한 후에 약분하기

방법 1 $\frac{3}{8} \times 4 = \frac{3 \times 4}{8} = \frac{\overset{3}{\cancel{12}}}{\underset{2}{\cancel{8}}} = \frac{3}{2} = 1\frac{1}{2}$

→ 분수의 곱셈을 하는 과정에서 약분하기

방법 2 $\frac{3}{8} \times 4 = \frac{3 \times \overset{1}{\cancel{4}}}{\underset{2}{\cancel{8}}} = \frac{3}{2} = 1\frac{1}{2}$

방법 3 $\frac{3}{\underset{2}{\cancel{8}}} \times \overset{1}{\cancel{4}} = \frac{3 \times 1}{2} = \frac{3}{2} = $ ❶

→ 주어진 곱셈식에서 약분한 후 계산하기

● (대분수)×(자연수)

→ 대분수를 가분수로 나타낸 후 계산하기

방법 1 $1\frac{2}{7} \times 3 = \frac{9}{7} \times 3 = \frac{9 \times 3}{7} = \frac{27}{7} = 3\frac{6}{7}$

방법 2 $1\frac{2}{7} \times 3 = (1+1+1) + \left(\frac{2}{7} + \frac{2}{7} + \frac{2}{7}\right)$

$= (1 \times 3) + \left(\frac{2}{7} \times 3\right)$

$= 3 + \frac{6}{7} = $ ❷

→ 대분수를 자연수와 진분수의 합으로 보고 계산하기

개념 ② (자연수)×(분수)

● 자연수가 분모의 배수인 (자연수)×(진분수)

$$8의 \frac{1}{4}배 \Rightarrow \overset{2}{\cancel{8}} \times \frac{1}{\underset{1}{\cancel{4}}} = 2$$

→ 8을 4등분한 것 중 하나

● 자연수가 분모의 배수가 아닌 (자연수)×(진분수)

$$5 \times \frac{3}{4} = \frac{3}{4} \times 5 = \frac{3 \times 5}{4} = \frac{15}{4} = 3\frac{3}{4}$$

● (자연수)×(대분수)

→ 대분수를 가분수로 나타낸 후 계산하기

방법 1 $3 \times 1\frac{1}{5} = 3 \times \frac{6}{5} = \frac{3 \times 6}{5} = \frac{18}{5} = $ ❸

방법 2 $3 \times 1\frac{1}{5} = (3 \times 1) + \left(3 \times \frac{1}{5}\right) = 3 + \frac{3}{5} = 3\frac{3}{5}$

→ 대분수를 자연수와 진분수의 합으로 보고 계산하기

개념 ③ 진분수의 곱셈

● (단위분수)×(단위분수)

$$\frac{1}{5}의 \frac{1}{3} \Rightarrow \frac{1}{5} \times \frac{1}{3} = \frac{1 \times 1}{5 \times 3} = \frac{1}{15}$$

→ $\frac{1}{5}$을 3등분한 것 중 하나

● (진분수)×(단위분수)

→ 분자는 분자끼리, 분모는 분모끼리 곱합니다.

$$\frac{4}{5} \times \frac{1}{3} = \frac{4 \times 1}{5 \times 3} = $$ ❹

● (진분수)×(진분수)

→ 분자는 분자끼리, 분모는 분모끼리 곱합니다.

$$\frac{4}{5} \times \frac{2}{3} = \frac{4 \times 2}{5 \times 3} = \frac{8}{15}$$

● 세 분수의 곱셈

→ 분자는 분자끼리, 분모는 분모끼리 곱합니다.

$$\frac{1}{5} \times \frac{1}{3} \times \frac{3}{4} = \frac{1 \times 1 \times 3}{5 \times 3 \times 4} = \frac{\overset{1}{\cancel{3}}}{\underset{20}{\cancel{60}}} = \frac{1}{20}$$

개념 ④ 여러 가지 분수의 곱셈

● (대분수)×(대분수)

→ 대분수를 가분수로 나타낸 후 계산하기

방법 1 $2\frac{2}{3} \times 3\frac{1}{4} = \frac{8}{3} \times \frac{13}{\underset{1}{\cancel{4}}}^{2} = \frac{26}{3} = $ ❺

방법 2 $2\frac{2}{3} \times 3\frac{1}{4} = \left(2\frac{2}{3} \times 3\right) + \left(2\frac{2}{3} \times \frac{1}{4}\right)$

대분수를 자연수와 진분수의 합으로 보고 계산하기

$= \left(\frac{8}{\underset{1}{\cancel{3}}} \times \overset{1}{\cancel{3}}\right) + \left(\frac{8}{3} \times \frac{1}{\underset{1}{\cancel{4}}}^{2}\right) = 8 + \frac{2}{3}$

$= 8\frac{2}{3}$

● 분수의 곱셈을 계산하는 방법

분수가 들어간 곱셈은 자연수나 대분수를 가분수로 바꾼 후 분자는 분자끼리, 분모는 분모끼리 곱하여 계산할 수 있습니다.

$$8 \times \frac{2}{7} = \frac{8}{1} \times \frac{2}{7} = \frac{16}{7} = 2\frac{2}{7}$$

| 정답 | ❶ $1\frac{1}{2}$ ❷ $3\frac{6}{7}$ ❸ $3\frac{3}{5}$ ❹ $\frac{4}{15}$ ❺ $8\frac{2}{3}$

[01~02] ☐ 안에 알맞은 수를 써넣으세요.

01 $\dfrac{1}{4} \times 3 = \dfrac{1 \times \square}{4} = \dfrac{\square}{\square}$

02 $\dfrac{1}{7} \times 5 = \dfrac{1 \times \square}{7} = \dfrac{\square}{\square}$

[03~05] $\dfrac{7}{10} \times 8$을 세 가지 방법으로 계산하려고 합니다. ☐ 안에 알맞은 수를 써넣으세요.

03 $\dfrac{7}{10} \times 8 = \dfrac{7 \times 8}{10} = \dfrac{\overset{\square}{56}}{\underset{5}{10}} = \dfrac{\square}{\square} = \square\dfrac{\square}{\square}$

04 $\dfrac{7}{10} \times 8 = \dfrac{7 \times \overset{}{8}}{\underset{}{10}} = \dfrac{\square}{\square} = \square\dfrac{\square}{\square}$

05 $\dfrac{7}{10} \times 8 = \dfrac{\square}{\square} = \dfrac{\square}{\square} = \square\dfrac{\square}{\square}$

[06~07] $1\dfrac{2}{5} \times 6$을 두 가지 방법으로 계산하려고 합니다. ☐ 안에 알맞은 수를 써넣으세요.

06 $1\dfrac{2}{5} \times 6 = \dfrac{\square}{5} \times 6 = \dfrac{\square \times 6}{5} = \dfrac{\square}{5}$

$= \square\dfrac{\square}{\square}$

07 $1\dfrac{2}{5} \times 6 = (1+1+1+1+1+1)$

$+ \left(\dfrac{2}{5} + \dfrac{2}{5} + \dfrac{2}{5} + \dfrac{2}{5} + \dfrac{2}{5} + \dfrac{2}{5}\right)$

$= (1 \times 6) + \left(\dfrac{\square}{\square} \times 6\right)$

$= 6 + \dfrac{12}{\square} = 6 + \square\dfrac{\square}{\square}$

$= \square\dfrac{\square}{\square}$

[08~10] 계산해 보세요.

08 $\dfrac{1}{10} \times 7$

09 $\dfrac{4}{5} \times 9$

10 $2\dfrac{1}{2} \times 4$

▶ (자연수) × (분수)

스피드 정답표 3쪽, 정답 및 풀이 21쪽

[01~02] □ 안에 알맞은 수를 써넣으세요.

01 $\dfrac{\square}{\cancel{10}} \times \dfrac{1}{\cancel{2}_{1}} = \square$

02 $5 \times \dfrac{5}{9} = \dfrac{5 \times \square}{9} = \dfrac{\square}{9} = \square \dfrac{\square}{\square}$

[03~05] $6 \times \dfrac{3}{10}$ 을 세 가지 방법으로 계산하려고 합니다. □ 안에 알맞은 수를 써넣으세요.

03 $6 \times \dfrac{3}{10} = \dfrac{6 \times 3}{10} = \dfrac{\overset{\square}{18}}{\underset{5}{10}} = \dfrac{\square}{\square} = \square \dfrac{\square}{\square}$

04 $6 \times \dfrac{3}{10} = \dfrac{6 \times 3}{\underset{5}{10}} = \dfrac{\overset{\square}{}}{\square} = \square \dfrac{\square}{\square}$

05 $\overset{\square}{\cancel{6}} \times \dfrac{3}{\underset{5}{10}} = \dfrac{\square}{\square} = \square \dfrac{\square}{\square}$

[06~07] $3 \times 2\dfrac{1}{5}$ 을 두 가지 방법으로 계산하려고 합니다. □ 안에 알맞은 수를 써넣으세요.

06 $3 \times 2\dfrac{1}{5} = 3 \times \dfrac{\square}{5} = \dfrac{3 \times \square}{5}$
$= \dfrac{\square}{\square} = \square \dfrac{\square}{\square}$

07 $3 \times 2\dfrac{1}{5} = \left(3 \times \square\right) + \left(3 \times \dfrac{1}{5}\right)$
$= 6 + \dfrac{\square}{5} = \square \dfrac{\square}{\square}$

[08~10] 계산해 보세요.

08 $4 \times \dfrac{3}{8}$

09 $15 \times \dfrac{2}{5}$

10 $12 \times 1\dfrac{3}{4}$

▶ 진분수의 곱셈

스피드 정답표 3쪽, 정답 및 풀이 21쪽

[01~02] 그림을 보고 □ 안에 알맞은 수를 써넣으세요.

01

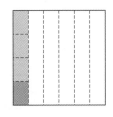

$$\frac{1}{6} \times \frac{1}{4} = \frac{1 \times 1}{6 \times \boxed{}} = \frac{1}{\boxed{}}$$

02

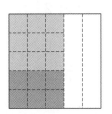

$$\frac{3}{5} \times \frac{2}{5} = \frac{3 \times \boxed{}}{5 \times \boxed{}} = \frac{\boxed{}}{\boxed{}}$$

[03~05] $\frac{6}{7} \times \frac{5}{8}$ 를 세 가지 방법으로 계산하려고 합니다. □ 안에 알맞은 수를 써넣으세요.

03 $\frac{6}{7} \times \frac{5}{8} = \frac{6 \times 5}{7 \times 8} = \frac{\overset{15}{\cancel{30}}}{\underset{\boxed{}}{\cancel{56}}} = \frac{\boxed{}}{\boxed{}}$

04 $\frac{6}{7} \times \frac{5}{8} = \frac{\overset{3}{\cancel{6}} \times 5}{7 \times \underset{\boxed{}}{\cancel{8}}} = \frac{\boxed{}}{\boxed{}}$

05 $\frac{\overset{3}{\cancel{6}}}{7} \times \frac{5}{\underset{\boxed{}}{\cancel{8}}} = \frac{\boxed{}}{\boxed{}}$

[06~08] 계산해 보세요.

06 $\frac{3}{4} \times \frac{3}{10}$

07 $\frac{5}{6} \times \frac{1}{5}$

08 $\frac{1}{2} \times \frac{1}{7}$

[09~10] ○ 안에 >, =, <를 알맞게 써넣으세요.

09 $\frac{5}{7} \bigcirc \frac{5}{7} \times \frac{2}{3}$

10 $\frac{11}{30} \times \frac{6}{11} \bigcirc \frac{6}{11}$

▶ 여러 가지 분수의 곱셈   스피드 정답표 3쪽, 정답 및 풀이 22쪽

01 그림을 보고 □ 안에 알맞은 수를 써넣으세요.

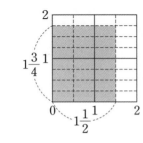

$$1\frac{1}{2} \times 1\frac{3}{4} = \frac{3}{2} \times \frac{\square}{4} = \frac{\square}{8}$$

$$= \square\frac{\square}{\square}$$

[02~04] □ 안에 알맞은 수를 써넣으세요.

02 $3 \times \frac{6}{7} = \frac{3}{\square} \times \frac{6}{7} = \frac{3 \times 6}{\square \times 7} = \frac{\square}{\square}$

$$= \square\frac{\square}{\square}$$

03 $\frac{2}{5} \times 6 = \frac{2}{5} \times \frac{6}{\square} = \frac{2 \times 6}{5 \times \square} = \frac{\square}{\square}$

$$= \square\frac{\square}{\square}$$

04 $\frac{1}{4} \times 1\frac{1}{6} = \frac{1}{4} \times \frac{\square}{6} = \frac{1 \times \square}{4 \times \square}$

$$= \frac{\square}{\square}$$

[05~06] $2\frac{1}{7} \times 1\frac{3}{8}$을 두 가지 방법으로 계산하려고 합니다. □ 안에 알맞은 수를 써넣으세요.

05 $2\frac{1}{7} \times 1\frac{3}{8} = \frac{15}{7} \times \frac{\square}{8}$

$$= \frac{\square}{\square} = \square\frac{\square}{\square}$$

06 $2\frac{1}{7} \times 1\frac{3}{8} = \left(2\frac{1}{7} \times 1\right) + \left(2\frac{1}{7} \times \square\right)$

$$= 2\frac{1}{7} + \left(\frac{\square}{7} \times \frac{3}{8}\right)$$

$$= 2\frac{1}{7} + \frac{\square}{56} = \square\frac{\square}{\square}$$

[07~10] 계산해 보세요.

07 $6\frac{2}{5} \times 1\frac{4}{5}$

08 $4 \times \frac{5}{12}$

09 $\frac{6}{15} \times 9$

10 $\frac{4}{7} \times \frac{7}{10} \times \frac{5}{6}$

[01~02] 그림을 보고 □ 안에 알맞은 수를 써넣으세요.

01

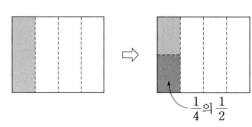

$\dfrac{1}{4}$의 $\dfrac{1}{2}$

$$\dfrac{1}{4} \times \dfrac{1}{2} = \dfrac{1}{\boxed{}}$$

02

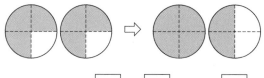

$$\dfrac{3}{4} \times 2 = \dfrac{3 \times \boxed{}}{4} = \dfrac{\boxed{}}{4} = \boxed{}\dfrac{\boxed{}}{2}$$

[03~04] □ 안에 알맞은 수를 써넣으세요.

03 $\dfrac{3}{10} \times 7 = \dfrac{3 \times \boxed{}}{10} = \dfrac{\boxed{}}{10} = \boxed{}\dfrac{\boxed{}}{10}$

04 $\dfrac{5}{\overset{8}{\underset{2}{8}}} \times \overset{}{12} = \dfrac{\boxed{}}{2} = \boxed{}\dfrac{\boxed{}}{2}$

05 □ 안에 알맞은 수를 써넣으세요.

$$1\dfrac{3}{5} \times 4 = (1 \times 4) + \left(\dfrac{\boxed{}}{5} \times 4\right)$$

$$= 4 + \dfrac{\boxed{}}{5} = \boxed{}\dfrac{\boxed{}}{\boxed{}}$$

06 대분수를 가분수로 나타내어 계산한 것입니다. □ 안에 알맞은 수를 써넣으세요.

$$1\dfrac{5}{9} \times 6 = \dfrac{\boxed{}}{\underset{}{9}} \times \overset{\boxed{}}{6} = \dfrac{\boxed{}}{3}$$

$$= \boxed{}\dfrac{\boxed{}}{3}$$

07 □ 안에 알맞은 수를 써넣으세요.

$$\dfrac{9}{14} \times \dfrac{2}{3} \times \dfrac{7}{8} = \dfrac{\overset{}{9}}{\underset{\boxed{}}{14}} \times \dfrac{\overset{1}{2}}{\underset{1}{3}} \times \dfrac{7}{8}$$

$$= \dfrac{\boxed{}}{\underset{1}{7}} \times \dfrac{\overset{1}{7}}{8} = \dfrac{\boxed{}}{8}$$

08 계산해 보세요.

$$\frac{4}{7} \times \frac{5}{8}$$

[09~10] 보기와 같은 방법으로 계산해 보세요.

09

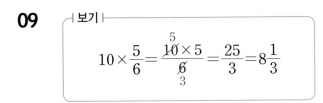

보기

$$10 \times \frac{5}{6} = \frac{\overset{5}{\cancel{10}} \times 5}{\cancel{6}_{3}} = \frac{25}{3} = 8\frac{1}{3}$$

$$8 \times \frac{7}{12}$$

10

보기

$$1\frac{3}{5} \times 4\frac{5}{8} = \frac{\overset{1}{\cancel{8}}}{5} \times \frac{37}{\cancel{8}_{1}} = \frac{37}{5} = 7\frac{2}{5}$$

$$2\frac{1}{4} \times 2\frac{1}{3}$$

11 빈칸에 두 수의 곱을 써넣으세요.

$\frac{1}{5}$	$\frac{1}{3}$

12 빈칸에 알맞은 수를 써넣으세요.

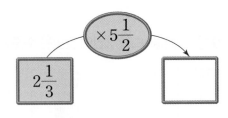

$$2\frac{1}{3} \quad \times 5\frac{1}{2} \quad \boxed{}$$

13 ○ 안에 >, =, <를 알맞게 써넣으세요.

$$3\frac{5}{9} \times 12 \quad \bigcirc \quad 3\frac{5}{9}$$

14 그림을 보고 알맞게 이야기한 친구를 찾아 이름을 써 보세요.

* 혜진: 10의 $\frac{1}{5}$은 4입니다.

* 진호: $10 \times \frac{3}{5}$은 6보다 큽니다.

* 재환: $10 \times \frac{2}{5}$는 4입니다.

(　　　　　　　)

15 관계있는 것끼리 선으로 이어 보세요.

$5 \times \dfrac{3}{4}$ ·

$4 \times \dfrac{11}{24}$ ·

· $1\dfrac{5}{6}$

· $2\dfrac{1}{4}$

· $3\dfrac{3}{4}$

16 더 큰 쪽에 ○표 하세요.

$\dfrac{1}{8} \times \dfrac{1}{2}$ $\dfrac{1}{8} \times \dfrac{1}{3}$

(   )   (   )

17 계산 결과가 3보다 큰 것을 모두 찾아 기호를 써 보세요.

ㄱ $3 \times 2\dfrac{1}{2}$ ㄴ $3 \times \dfrac{1}{4}$

ㄷ $3 \times \dfrac{5}{8}$ ㄹ $3 \times 1\dfrac{2}{5}$

(   )

18 수연이는 우유를 하루에 $\dfrac{2}{5}$ L씩 5일 동안 마셨습니다. 수연이가 5일 동안 마신 우유는 모두 몇 L일까요?

$\dfrac{2}{5} \times \boxed{} = \boxed{}$ (L)

19 직사각형의 넓이는 몇 cm²일까요?

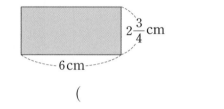

(   )

20 준석이가 사용한 색 테이프의 길이는 몇 m일까요?

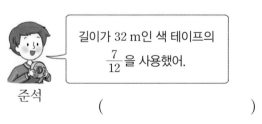

길이가 32 m인 색 테이프의 $\dfrac{7}{12}$ 을 사용했어.

준석   (   )

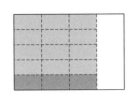
[01~02] 그림을 보고 □안에 알맞은 수를 써넣으세요.

01

$$\frac{3}{4} \times \frac{1}{5} = \frac{3 \times 1}{4 \times \boxed{}} = \boxed{}$$

02

$$1\frac{1}{4} \times 2 = (1+1) + \left(\frac{1}{4} + \frac{1}{4}\right)$$

$$= 2 + \frac{\boxed{}}{4} = \boxed{}\,\frac{\boxed{}}{2}$$

[03~04] □ 안에 알맞은 수를 써넣으세요.

03 $\dfrac{3}{7} \times 4 = \dfrac{3}{7} + \dfrac{3}{7} + \dfrac{3}{7} + \dfrac{\boxed{}}{7}$

$$= \frac{3 \times \boxed{}}{7} = \frac{\boxed{}}{7} = \boxed{}\,\frac{\boxed{}}{\boxed{}}$$

04 $\dfrac{3}{5} \times \dfrac{7}{8} = \dfrac{3 \times \boxed{}}{5 \times 8} = \dfrac{\boxed{}}{\boxed{}}$

05 □ 안에 알맞은 수를 써넣으세요.

$$\frac{2}{3} \times \frac{2}{5} \times \frac{3}{4} = \frac{\boxed{}}{\boxed{}} \times \frac{3}{4}$$

$$= \frac{\cancel{4}}{15} \times \frac{\cancel{3}}{\cancel{4}} = \frac{\boxed{}}{\boxed{}}$$

[06~07] 계산해 보세요.

06 $\dfrac{1}{11} \times \dfrac{1}{6}$

07 $2\dfrac{2}{5} \times 1\dfrac{5}{6}$

08 계산 결과가 같은 것끼리 선으로 이어 보세요.

$\dfrac{5}{8} \times 18$ · · $\dfrac{7}{3} \times 4$

$4 \times 2\dfrac{1}{3}$ · · $5 \times \dfrac{3}{5}$

$\dfrac{3}{5} \times 5$ · · $\dfrac{5}{4} \times 9$

09 | 보기 |와 같은 방법으로 계산해 보세요.

| 보기 |
$$5\frac{1}{3} \times 4 = \frac{16}{3} \times 4 = \frac{64}{3} = 21\frac{1}{3}$$

$$4\frac{3}{5} \times 3 \underline{\hspace{5cm}}$$

10 빈칸에 두 분수의 곱을 써넣으세요.

11 ○ 안에 >, =, <를 알맞게 써넣으세요.

$$7 \bigcirc 7 \times \frac{3}{5}$$

12 계산 결과가 자연수인 것은 어느 것일까요?
.... (   )

① $\frac{5}{6} \times 8$ ② $\frac{3}{5} \times 12$

③ $\frac{4}{15} \times 20$ ④ $\frac{1}{16} \times 4$

⑤ $\frac{7}{8} \times 16$

13 계산 결과를 찾아 선으로 이은 것입니다. 빈칸에 알맞은 계산 결과를 써넣으세요.

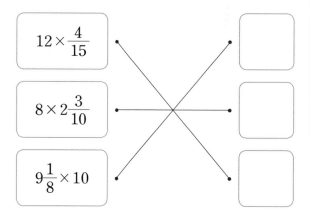

14 빈칸에 알맞은 수를 써넣으세요.

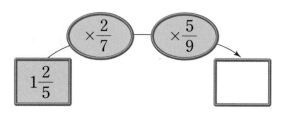

15 계산 결과가 더 큰 것에 ○표 하세요.

$$\frac{5}{8} \times \frac{8}{15}$$

$$\frac{7}{10} \times \frac{5}{21}$$

(   ) (   )

16 바르게 계산한 학생의 이름을 써 보세요.

- 지현: $\frac{5}{6} \times 7 = \frac{5 \times 7}{6} = \frac{35}{6} = 5\frac{5}{6}$
- 형민: $\frac{5}{6} \times 7 = \frac{5}{6 \times 7} = \frac{5}{42}$
- 영선: $\frac{5}{6} \times 7 = \frac{5 \times 7}{6 \times 7} = \frac{35}{42} = \frac{5}{6}$

(   )

17 계산 결과가 큰 것부터 차례로 기호를 써 보세요.

$\bigcirc \ \frac{1}{3} \times \frac{1}{6}$ $\bigcirc \ \frac{1}{5} \times \frac{1}{7}$

$\bigcirc \ \frac{1}{2} \times \frac{1}{8}$ $\bigcirc \ \frac{1}{9} \times \frac{1}{4}$

(   )

18 ㉮×㉯×㉰의 값을 구하세요.

㉮ $2\frac{1}{2}$ ㉯ 3   ㉰ $4\frac{2}{3}$

(   )

19 굵기가 일정한 철근 1 m의 무게가 $5\frac{1}{6}$ kg이라고 합니다. 이 철근 8 m의 무게는 몇 kg일까요?

$$5\frac{1}{6} \times \boxed{} = \boxed{} \frac{\boxed{}}{\boxed{}} \ (\text{kg})$$

20 달에서 잰 몸무게는 지구에서 잰 몸무게의 $\frac{1}{6}$입니다. 지구에서 잰 몸무게가 78 kg인 사람이 달에서 잰 몸무게는 몇 kg일까요?

(   )

01 그림을 보고 □ 안에 알맞은 수를 써넣으세요.

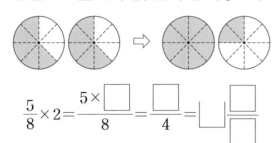

$$\frac{5}{8} \times 2 = \frac{5 \times \square}{8} = \frac{\square}{4} = \square\frac{\square}{\square}$$

[02~04] □ 안에 알맞은 수를 써넣으세요.

02 $\dfrac{1}{9} \times \dfrac{1}{3} = \dfrac{1 \times 1}{9 \times \square} = \dfrac{1}{\square}$

03 $5\dfrac{1}{3} \times 4 = (5+5+5+5)$

$$+ \left(\frac{1}{3} + \frac{1}{3} + \frac{1}{3} + \frac{\square}{3} \right)$$

$$= 20 + \frac{\square}{3} = 20 + \square\frac{\square}{3}$$

$$= \square\frac{\square}{\square}$$

04 $1\dfrac{2}{3} \times 3\dfrac{1}{5} = \dfrac{\overset{}{\cancel{5}}}{3} \times \dfrac{\square}{\underset{1}{\cancel{5}}} = \dfrac{\square}{3}$

$$= \square\frac{\square}{\square}$$

05 계산해 보세요.

$$\frac{7}{12} \times \frac{4}{15}$$

06 $\dfrac{4}{5} \times 4$와 같지 <u>않은</u> 것을 찾아 기호를 써 보세요.

㉠ $\dfrac{4}{5} + \dfrac{4}{5} + \dfrac{4}{5} + \dfrac{4}{5}$ ㉡ $\dfrac{4 \times 4}{5}$

㉢ $3\dfrac{1}{5}$ ㉣ $1\dfrac{3}{5}$

( )

07 보기와 같은 방법으로 계산해 보세요.

보기

$$6 \times 1\frac{5}{8} = \overset{3}{\cancel{6}} \times \frac{13}{\underset{4}{\cancel{8}}} = \frac{39}{4} = 9\frac{3}{4}$$

$8 \times 3\dfrac{5}{12}$

2

분수의 곱셈

08 두 분수의 곱을 구하세요.

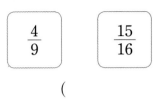

$$\frac{4}{9} \qquad \frac{15}{16}$$

(   )

09 계산 과정에서 잘못된 부분을 찾아 바르게 계산해 보세요.

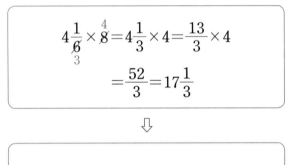

$$4\frac{1}{\underset{3}{6}} \times \overset{4}{8} = 4\frac{1}{3} \times 4 = \frac{13}{3} \times 4$$
$$= \frac{52}{3} = 17\frac{1}{3}$$

⇩

10 빈칸에 두 분수의 곱을 써넣으세요.

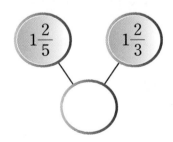

$$1\frac{2}{5} \qquad 1\frac{2}{3}$$

11 빈칸에 알맞은 수를 써넣으세요.

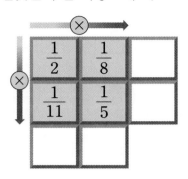

⊗ →		
$\frac{1}{2}$	$\frac{1}{8}$	
$\frac{1}{11}$	$\frac{1}{5}$	

12 세 분수의 곱을 구하세요.

$$1\frac{2}{7} \qquad \frac{3}{4} \qquad \frac{5}{9}$$

(   )

13 계산 결과를 비교하여 ○ 안에 >, =, <를 알맞게 써넣으세요.

$$\frac{1}{3} \times \frac{1}{11} \; \bigcirc \; \frac{1}{8} \times \frac{1}{4}$$

14 계산 결과를 어림하여 $\frac{5}{13}$보다 작은 것에 모두 ○표 하세요.

$$\frac{5}{13} \times 2 \qquad \frac{5}{13} \times \frac{2}{3} \qquad \frac{5}{13} \times \frac{7}{9}$$

15 ㉠과 ㉡을 계산한 값의 차를 구하세요.

$$㉠\ 4 \times 1\frac{2}{7} \qquad ㉡\ \frac{5}{8} \times \frac{2}{5}$$

(   )

16 한 변의 길이가 $\frac{4}{9}$ m인 정사각형입니다. 정사각형의 넓이는 몇 m²일까요?

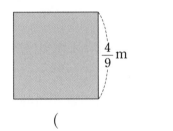

$\frac{4}{9}$ m

(   )

17 선아는 동화책을 어제는 전체의 $\frac{1}{9}$을 읽고, 오늘은 어제 읽은 쪽수의 $\frac{1}{6}$을 읽었습니다. 오늘 읽은 부분은 전체의 얼마인지 풀이 과정을 쓰고 답을 구하세요.

풀이

답 _____

18 형석이네 동네에 있는 공원을 한 바퀴 돌면 $\frac{2}{5}$ km입니다. 형석이가 아침 운동으로 걸어서 공원을 4바퀴 돌았다면 형석이가 걸은 거리는 모두 몇 km일까요?

(   )

19 주현이네 집에서 할머니 댁까지의 거리는 $4\frac{2}{11}$ km입니다. 주현이는 집에서 출발하여 할머니 댁까지 가고 있습니다. 주현이가 지금까지 걸은 거리는 몇 km일까요?

휴~ 지금까지 전체의 $\frac{1}{2}$을 걸었네. 좀 쉬어야겠다.

주현

(   )

20 2부터 9까지의 자연수 중에서 □ 안에 들어갈 수 있는 수를 모두 구하세요.

$$\frac{1}{5} \times \frac{1}{\square} > \frac{1}{32}$$

(   )

[01~02] $2 \times 1\frac{3}{4}$ 을 두 가지 방법으로 계산하려고 합니다. 그림을 보고 □ 안에 알맞은 수를 써넣으세요.

01

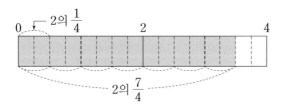

$$2 \times 1\frac{3}{4} = 2 \times \frac{\boxed{}}{4} = \frac{\boxed{}}{2} = \boxed{}\frac{\boxed{}}{\boxed{}}$$

02

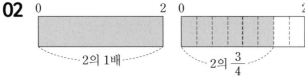

$$2 \times 1\frac{3}{4} = (2 \times 1) + \left(\overset{1}{\cancel{2}} \times \frac{\boxed{}}{\underset{2}{\cancel{4}}} \right)$$

$$= 2 + \frac{\boxed{}}{2} = \boxed{}\frac{\boxed{}}{\boxed{}}$$

[03~04] □ 안에 알맞은 수를 써넣으세요.

03 $1\frac{5}{9} \times 4 = \frac{\boxed{}}{9} \times 4 = \frac{\boxed{}}{9} = \boxed{}\frac{\boxed{}}{\boxed{}}$

04 $8 \times 2\frac{3}{4} = (8 \times 2) + \left(\overset{2}{\cancel{8}} \times \frac{\boxed{}}{\underset{4}{\cancel{4}}} \right)$

$$= 16 + \boxed{} = \boxed{}$$

[05~06] 계산해 보세요.

05 $28 \times \frac{4}{21}$

06 $4\frac{1}{2} \times \frac{2}{7} \times \frac{3}{4}$

07 한 변의 길이가 1 m인 정사각형 모양의 종이를 그림과 같이 똑같이 나누었습니다. 나누어진 한 칸의 넓이를 구하세요.

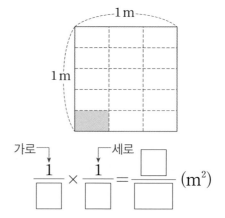

가로   세로
$$\frac{1}{\boxed{}} \times \frac{1}{\boxed{}} = \frac{\boxed{}}{\boxed{}} \ (\text{m}^2)$$

08 빈칸에 알맞은 수를 써넣으세요.

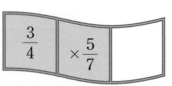

09 계산 결과가 같은 것끼리 선으로 이어 보세요.

$$\dfrac{1}{2}\times\dfrac{1}{7}$$ ・ ・ $$\dfrac{1}{15}\times\dfrac{1}{2}$$

$$\dfrac{1}{5}\times\dfrac{1}{6}$$ ・ ・ $$\dfrac{1}{7}\times\dfrac{1}{2}$$

$$\dfrac{1}{3}\times\dfrac{1}{4}$$ ・ ・ $$\dfrac{1}{6}\times\dfrac{1}{2}$$

10 ㅣ보기ㅣ와 같은 방법으로 계산해 보세요.

ㅣ보기ㅣ
$$1\dfrac{3}{5}\times 2=(1+1)+\left(\dfrac{3}{5}+\dfrac{3}{5}\right)=2+\dfrac{6}{5}$$
$$=2+1\dfrac{1}{5}=3\dfrac{1}{5}$$

$$2\dfrac{5}{7}\times 4$$ _____

_____

11 계산 결과가 더 큰 것의 기호를 써 보세요.

$$\bigcirc\ 2\dfrac{1}{6}\times 3\dfrac{2}{5} \qquad \bigcirc\ 4\dfrac{1}{2}\times 1\dfrac{5}{8}$$

( )

12 잘못 계산한 곳을 찾아 바르게 고쳐 보세요.

$$10\times 3\dfrac{1}{6}=\overset{5}{10}\times\dfrac{19}{\underset{3}{6}}=\dfrac{19}{5\times 3}=\dfrac{19}{15}=1\dfrac{4}{15}$$

$$10\times 3\dfrac{1}{6}$$ _____

13 평행사변형의 넓이는 몇 m²일까요?

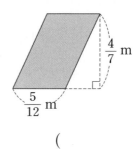

( )

14 빈칸에 알맞은 수를 써넣으세요.

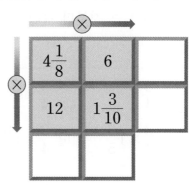

15 미영이네 반 전체 학생의 $\frac{3}{5}$은 남학생이고 남학생의 $\frac{7}{9}$은 안경을 썼습니다. 미영이네 반에서 안경을 쓴 남학생은 반 전체 학생의 몇 분의 몇일까요?

(   )

16 1분에 $3\frac{1}{5}$ L씩 물이 나오는 수도가 있습니다. 이 수도에서 나오는 물의 양이 일정할 때, 지혜가 수조에 받은 물은 몇 L인지 구하세요.

4분 동안 수조에 물을 받았어요.

지혜

(   )

17 계산 결과가 큰 것부터 차례로 기호를 써 보세요.

> ㉠ $\frac{3}{4}$ ㉡ $\frac{3}{4} \times \frac{2}{3}$
>
> ㉢ $\frac{3}{4} \times 1\frac{3}{5}$ ㉣ $\frac{3}{4} \times 1\frac{3}{5} \times 1\frac{1}{6}$

(   )

18 찰흙이 $4\frac{1}{3}$ kg 있습니다. 이 찰흙의 $\frac{2}{5}$를 사용하여 작품을 만들었습니다. 작품을 만드는 데 사용한 찰흙은 몇 kg일까요?

(   )

19 다음 수 카드를 각각 한 번씩만 사용하여 만들 수 있는 가장 큰 대분수와 가장 작은 대분수의 곱을 구하세요.

[1]   [3]   [5]

(   )

서술형

20 용선이는 어제 책 한 권의 $\frac{1}{5}$을 읽었고, 오늘은 어제 읽고 난 나머지의 $\frac{5}{6}$를 읽었습니다. 어제와 오늘 읽은 양은 책 전체의 얼마인지 풀이 과정을 쓰고 답을 구하세요.

풀이

답 _____

2단원 단원평가 5회 분수의 곱셈

점수

스피드 정답표 4쪽, 정답 및 풀이 24쪽

[01~03] 계산해 보세요.

01 $6 \times 4\dfrac{3}{4}$

02 $\dfrac{5}{16} \times \dfrac{8}{15}$

03 $3\dfrac{1}{5} \times \dfrac{1}{2} \times 10$

04 빈칸에 알맞은 수를 써넣으세요.

$$\boxed{\dfrac{1}{7}} \xrightarrow{\times \frac{1}{5}} \boxed{}$$

05 두 수의 곱을 구하세요.

$$\boxed{2\dfrac{2}{9}} \qquad \boxed{1\dfrac{9}{16}}$$

( )

06 계산 결과를 비교하여 ○ 안에 >, =, <를 알맞게 써넣으세요.

$$6 \times \dfrac{5}{7} \ \bigcirc \ \dfrac{2}{7} \times 4$$

07 관계있는 것끼리 선으로 이어 보세요.

$6 \times \dfrac{7}{10}$ ·   · $10\dfrac{1}{2}$

$\dfrac{3}{20} \times 15$ ·   · $2\dfrac{1}{4}$

$24 \times \dfrac{7}{16}$ ·   · $4\dfrac{1}{5}$

08 빈칸에 알맞은 수를 써넣으세요.

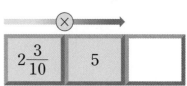

$$\boxed{2\dfrac{3}{10}} \quad \boxed{5} \quad \boxed{}$$

09 빈칸에 알맞은 수를 써넣으세요.

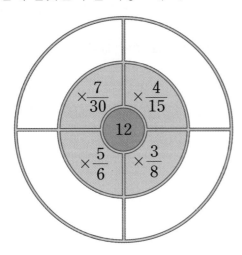

10 빈칸에 세 분수의 곱을 써넣으세요.

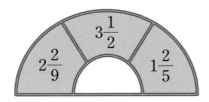

11 계산 결과가 가장 큰 것을 찾아 기호를 써 보세요.

$$
\begin{array}{ll}
\text{㉠} \dfrac{5}{8} \times 5 & \text{㉡} 2 \times \dfrac{3}{7} \\[4mm]
\text{㉢} \dfrac{1}{5} \times 3 & \text{㉣} 4 \times \dfrac{7}{12}
\end{array}
$$

(   )

12 영주는 주스 3 L의 $\dfrac{2}{7}$를 마셨습니다. 영주가 마신 주스는 몇 L일까요?

(   )

13 정사각형의 둘레는 몇 cm일까요?

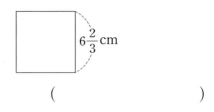

(   )

서술형

14 다음 중 잘못 계산한 것을 찾고 바르게 고쳐 보세요.

$$
\begin{aligned}
&\text{㉠} \ 1\frac{1}{2} \times 10 = \frac{3}{2} \times \overset{5}{\underset{1}{10}} = 15 \\[3mm]
&\text{㉡} \ 6 \times 1\frac{4}{5} = (6 \times 1) + \left(6 \times \frac{4}{5}\right) \\[2mm]
&\qquad\qquad = 6 + \frac{24}{5} = 10\frac{4}{5} \\[3mm]
&\text{㉢} \ 7\frac{5}{6} \times 12 = \frac{47}{6} \times 12 = \frac{47 \times 12}{6 \times 12} \\[3mm]
&\qquad\qquad = \frac{564}{72} = 7\frac{\overset{5}{\underset{6}{60}}}{72} = 7\frac{5}{6}
\end{aligned}
$$

답 _____

바르게 고치기
_____
_____

15 연필 한 타는 12자루입니다. 연필 한 자루의 무게가 $13\frac{2}{9}$ g일 때 똑같은 연필 한 타의 무게는 몇 g일까요?

(   )

16 바르게 말한 것을 찾아 기호를 써 보세요.

> ㉠ 1시간의 $\frac{1}{2}$ 은 50분입니다.
>
> ㉡ 1 m의 $\frac{1}{4}$ 은 25 cm입니다.
>
> ㉢ 1 L의 $\frac{1}{10}$ 은 10 mL입니다.

(   )

17 설탕이 $1\frac{1}{5}$ kg 있습니다. 그중 $\frac{7}{12}$ 을 사용하였다면 남은 설탕은 몇 kg일까요?

(   )

18 어느 놀이공원에서 1명의 입장료는 9000원이고 할인 기간에는 입장료의 $\frac{2}{3}$ 만큼만 내면 됩니다. 할인 기간에 4명의 입장료는 얼마를 내야 할까요?

(   )

19 보람 초등학교에서 5학년은 전체 학생 수의 $\frac{1}{5}$ 입니다. 그중 $\frac{2}{3}$ 는 여학생이고 여학생의 $\frac{1}{3}$ 은 체육을 좋아합니다. 체육을 좋아하는 5학년 여학생은 보람 초등학교 전체 학생의 몇 분의 몇일까요?

(   )

서술형

20 바닥에 한 변의 길이가 $3\frac{3}{5}$ cm인 정사각형 모양의 타일 30장이 겹치지 않게 붙어 있습니다. 타일이 붙어 있는 부분의 넓이는 몇 cm²인지 풀이 과정을 쓰고 답을 구하세요.

풀이

답 _____

01 병철이와 재민이는 미술 시간에 지점토로 작품을 만들고 있습니다. 병철이는 지점토를 $8\,kg$ 사용했고 재민이는 $10\,kg$ 중 $\dfrac{7}{8}$ 을 사용했습니다. 두 사람 중 지점토를 더 많이 사용한 사람은 누구인지 구하세요.

❶ 재민이가 사용한 지점토는 몇 kg일까요?

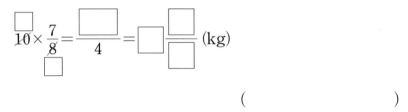

$$\dfrac{\boxed{}}{10}\times\dfrac{7}{8}=\dfrac{\boxed{}}{4}=\boxed{}\dfrac{\boxed{}}{\boxed{}}\ (kg)$$

(   )

❷ 병철이와 재민이 중 지점토를 더 많이 사용한 사람은 누구일까요?

(   )

02 정사각형 가와 직사각형 나가 있습니다. 가와 나 중 어느 것이 몇 cm^2 더 넓은지 구하세요.

가   나

가: $2\dfrac{1}{5}\,cm$

나: $2\dfrac{5}{6}\,cm$, $1\dfrac{3}{5}\,cm$

❶ 정사각형 가의 넓이는 몇 cm^2일까요?

$$2\dfrac{1}{5}\times2\dfrac{1}{5}=\dfrac{\boxed{}}{5}\times\dfrac{\boxed{}}{5}=\dfrac{\boxed{}}{25}=\boxed{}\dfrac{\boxed{}}{\boxed{}}\ (cm^2)$$

(   )

❷ 직사각형 나의 넓이는 몇 cm^2일까요?

$$2\dfrac{5}{6}\times1\dfrac{3}{5}=\dfrac{\boxed{}}{6}\times\dfrac{8}{5}=\dfrac{\boxed{}}{15}=\boxed{}\dfrac{\boxed{}}{\boxed{}}\ (cm^2)$$

(   )

❸ 가와 나 중 어느 것이 몇 cm^2 더 넓은지 구하세요.

(   ), (   )

03 우유 1 L를 모양과 크기가 같은 종이컵에 부었더니 $3\frac{1}{2}$ 컵이 되었습니다. 우유 5 L를 같은 종이컵에 부으면 몇 컵이 되는지 구하세요.

❶ 우유 5 L를 같은 종이컵에 부으면 몇 컵이 되는지 구하는 식을 써 보세요.

식 _____

❷ 우유 5 L를 같은 종이컵에 부으면 몇 컵이 될까요?

(   )

04 수 카드 두 장을 사용하여 다음과 같은 분수끼리의 곱셈을 만들려고 합니다. 계산 결과가 가장 작은 식을 구하세요.

| 2 | 3 | 4 | 5 | 6 | 7 | 8 | 9 |

$$\frac{1}{\square} \times \frac{1}{\square}$$

❶ 알맞은 말에 ○표 하세요.

단위분수는 분모가 (클수록 , 작을수록) 작습니다.

❷ 계산 결과가 가장 작게 되려면 어떤 두 수를 골라야 할까요?

$\frac{1}{\bigcirc} \times \frac{1}{\bigcirc}$ 의 계산 결과가 가장 작게 되려면 가장 (큰 , 작은) 두 수를 분모로 하면 되므로

⊙, ⓒ에 알맞은 두 수는 $\square$, $\square$ 입니다.

(   )

❸ 계산 결과가 가장 작게 되도록 $\square$ 안에 알맞은 수를 써넣고 계산해 보세요.

$$\frac{1}{\square} \times \frac{1}{\square} = \frac{1}{\square}$$

2 단원 서술형평가 분수의 곱셈

점수

01 두 사람 중에서 철사를 더 많이 사용한 사람은 누구인지 풀이 과정을 쓰고 답을 구하세요.

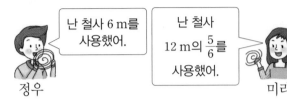

정우

미라

풀이

답 _____

어떻게 풀까요?

- 12의 $\frac{5}{6}$는 $12 \times \frac{5}{6}$와 같음을 이용하여 철사의 길이를 비교해 봅니다.

02 명석이는 색종이로 직사각형 가와 평행사변형 나를 만들었습니다. 가와 나 중 어느 것이 몇 cm² 더 넓은지 풀이 과정을 쓰고 답을 구하세요.

가   나

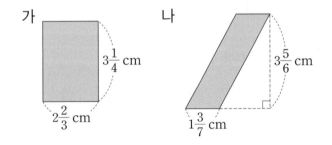

풀이

답 _____ , _____

어떻게 풀까요?

- (직사각형의 넓이)
  =(가로)×(세로)
- (평행사변형의 넓이)
  =(밑변의 길이)×(높이)

03 1 kg의 쌀로 가래떡을 일정한 두께로 $4\frac{2}{7}$ m까지 뽑는 기계가 있습니다. 이 기계로 떡을 뽑을 때 쌀 6 kg으로는 가래떡을 몇 m까지 뽑을 수 있는지 풀이 과정을 쓰고 답을 구하세요.

풀이

답 _____

🔍 **어떻게 풀까요?**

• 뽑을 수 있는 가래떡의 길이는 $4\frac{2}{7}$ m의 6배입니다.

04 수 카드 두 장을 사용하여 곱셈식 $\frac{1}{\Box} \times \frac{1}{\Box}$ 을 만들려고 합니다. 계산 결과가 가장 큰 식의 계산 결과는 무엇인지 풀이 과정을 쓰고 답을 구하세요.

| 2 | 3 | 4 | 5 | 6 | 7 | 8 | 9 |

풀이

답 _____

🔍 **어떻게 풀까요?**

• 단위분수끼리의 곱셈은 분모가 작을수록 곱이 커집니다.

05 한석이는 어제 책 한 권의 $\frac{1}{4}$ 을 읽었고 오늘은 어제 읽고 난 나머지의 $\frac{5}{6}$ 를 읽었습니다. 책 한 권이 240쪽일 때 오늘 읽은 쪽수는 몇 쪽인지 풀이 과정을 쓰고 답을 구하세요.

풀이

답 _____

🔍 **어떻게 풀까요?**

• 오늘 읽은 양은 $(1-\frac{1}{4})$의 $\frac{5}{6}$ 입니다.

오답률 37%

01 직사각형 가와 정사각형 나가 있습니다. 가와 나 중 어느 것이 더 넓을까요?

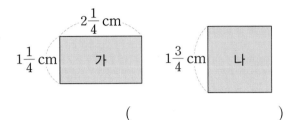

( )

오답률 43%

02 계산해 보세요.

$$\frac{3}{7} \times \frac{1}{6} \times \frac{7}{9}$$

( )

오답률 44%

03 평행사변형의 넓이를 구하세요.

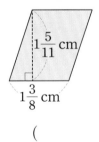

( )

오답률 51%

04 성호네 학교 5학년 학생의 $\frac{1}{2}$은 남학생입니다. 5학년 남학생 중에서 $\frac{5}{7}$가 운동을 좋아하고 그중에서 $\frac{1}{5}$은 농구를 좋아합니다. 농구를 좋아하는 5학년 남학생은 전체의 몇 분의 몇일까요?

( )

오답률 79%

05 민정이네 밭의 넓이는 64 m²입니다. 이 중 $\frac{3}{8}$에 고추를 심었습니다. 고추를 심고 남은 밭의 넓이는 몇 m²일까요?

( )

합동과 대칭

3 단원 개념정리

개념 ① 도형의 합동

- 합동: 모양과 크기가 같아서 포개었을 때 완전히 겹치는 두 도형

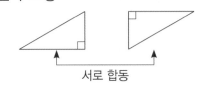

서로 합동

개념 ② 합동인 도형의 성질

대응각
대응변
대응점
서로 합동인 두 도형을 포개었을 때 완전히 겹치는 점

- 서로 합동인 두 도형에서

① 각각의 ❶[   ]의 길이가 서로 같습니다.

② 각각의 대응각의 크기가 서로 같습니다.
   서로 합동인 두 도형을 포개었을 때 완전히 겹치는 각

개념 ③ 선대칭도형과 그 성질

- 선대칭도형: 한 직선을 따라 접어서 완전히 겹치는 도형

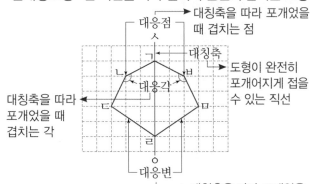

대응점 ← 대칭축을 따라 포개었을 때 겹치는 점
ㅅ
대칭축
ㄱ
ㄴ   ㅂ
대응각
대칭축을 따라 포개었을 때 겹치는 각
ㄷ   ㅁ
ㄹ
ㅇ
대응변

도형이 완전히 포개어지게 접을 수 있는 직선

대칭축을 따라 포개었을 때 겹치는 변

- 선대칭도형의 성질
  선대칭도형에서

① 각각의 대응변의 길이가 서로 같습니다.

② 각각의 대응각의 크기가 서로 같습니다.

③ 대응점끼리 이은 선분은 대칭축과 ❷[   ]으로 만납니다.

④ 대칭축은 대응점끼리 이은 선분을 둘로 똑같이 나눕니다.

- 선대칭도형 그리기

① 점 ㄴ에서 대칭축 ㄹㅁ에 수선을 긋고, 대칭축과 만나는 점을 찾아 점 ㅅ으로 표시하기

② 이 수선에 선분 ㄴㅅ과 길이가 같은 선분 ㅂㅅ이 되도록 점 ㄴ의 대응점을 찾아 점 ㅂ으로 표시하기

③ 점 ㄷ과 점 ㅂ, 점 ㅂ과 점 ㄱ을 차례로 이어 선대칭도형이 되도록 그리기

개념 ④ 점대칭도형과 그 성질

- 점대칭도형: 한 도형을 어떤 점을 중심으로 ❸[   ]° 돌렸을 때 처음 도형과 완전히 겹치는 도형

대칭의 중심을 중심으로 180° 돌렸을 때 겹치는 변
대응변
대칭의 중심
도형을 180° 돌렸을 때 처음 도형과 완전히 겹치게 하는 점
대칭의 중심을 중심으로 180° 돌렸을 때 겹치는 각
대응각
대응점
대칭의 중심을 중심으로 180° 돌렸을 때 겹치는 점

- 점대칭도형의 성질
  점대칭도형에서

① 각각의 대응변의 길이가 서로 같습니다.

② 각각의 대응각의 크기가 서로 같습니다.

③ ❹[   ]은 대응점끼리 이은 선분을 둘로 똑같이 나눕니다.

- 점대칭도형 그리기

④ 점 ㄹ과 점 ㅁ, 점 ㅁ과 점 ㅂ, 점 ㅂ과 점 ㄱ을 차례로 이어 점대칭도형이 되도록 그리기

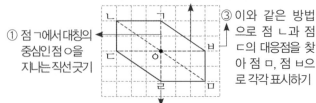

① 점 ㄱ에서 대칭의 중심인 점 ㅇ을 지나는 직선 긋기

③ 이와 같은 방법으로 점 ㄴ과 점 ㄷ의 대응점을 찾아 점 ㅁ, 점 ㅂ으로 각각 표시하기

② 이 직선에 선분 ㄱㅇ과 길이가 같은 선분 ㄹㅇ이 되도록 점 ㄱ의 대응점을 찾아 점 ㄹ로 표시하기

| 정답 | ❶ 대응변 ❷ 수직 ❸ 180 ❹ 대칭의 중심

[01~03] 왼쪽 도형과 서로 합동인 도형을 찾아 기호를 써 보세요.

01

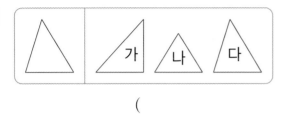

(   )

02

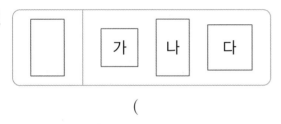

(   )

03

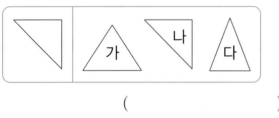

(   )

[04~05] 왼쪽 도형과 서로 합동인 도형을 그려 보세요.

04

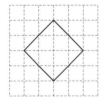 

05

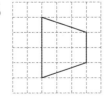 

[06~08] 두 삼각형은 서로 합동입니다. □ 안에 알맞게 써넣으세요.

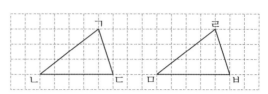

06 두 삼각형을 포개었을 때 겹치는 꼭짓점은 점 ㄱ과 점 [ ], 점 ㄴ과 점 [ ], 점 ㄷ과 점 [ ]입니다.

07 두 삼각형을 포개었을 때 겹치는 변은 변 ㄱㄴ과 변 [ ], 변 ㄴㄷ과 변 [ ], 변 ㄷㄱ과 변 [ ]입니다.

08 두 삼각형을 포개었을 때 겹치는 각은 각 ㄱㄴㄷ과 각 [ ], 각 ㄴㄷㄱ과 각 [ ], 각 ㄷㄱㄴ과 각 [ ]입니다.

[09~10] 두 삼각형은 서로 합동입니다. □ 안에 알맞게 써넣으세요.

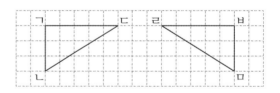

09 변 ㄱㄴ과 길이가 같은 변은 변 [ ]입니다.

10 각 ㄱㄷㄴ과 크기가 같은 각은 각 [ ]입니다.

▶ 선대칭도형과 그 성질 ~ 점대칭도형과 그 성질　　　스피드 정답표 6쪽, 정답 및 풀이 27쪽

[01~02] 선대칭도형에 ○표 하세요.

01
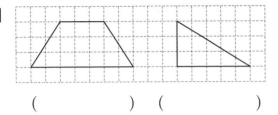

(　　　　)　(　　　　)

02
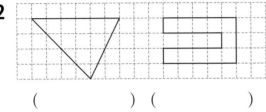

(　　　　)　(　　　　)

[03~04] 점대칭도형에 ○표 하세요.

03
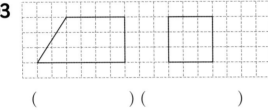

(　　　　)　(　　　　)

04
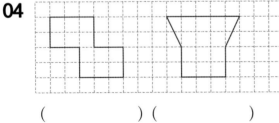

(　　　　)　(　　　　)

05 선대칭도형입니다. 대칭축을 그려 보세요.

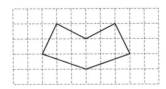

06 점대칭도형입니다. 대칭의 중심을 찾아 점 ㅇ으로 표시해 보세요.

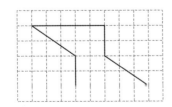

07 직선 ㅅㅇ을 대칭축으로 하는 선대칭도형입니다. 대응점, 대응변, 대응각을 써 보세요.

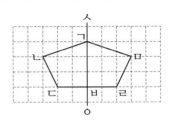

점 ㄴ의 대응점	변 ㄱㄴ의 대응변	각 ㄴㄷㅂ의 대응각

08 점 ㅇ을 대칭의 중심으로 하는 점대칭도형입니다. 대응점, 대응변, 대응각을 써 보세요.

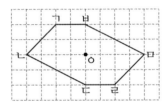

점 ㄷ의 대응점	변 ㄱㄴ의 대응변	각 ㄴㄷㄹ의 대응각

09 점들을 이어 선대칭도형을 완성해 보세요.

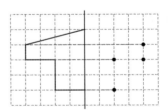

10 점들을 이어 점대칭도형을 완성해 보세요.

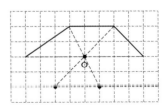

스피드 정답표 6쪽, 정답 및 풀이 27쪽

01 왼쪽 도형과 포개었을 때 완전히 겹치는 도형을 찾아 기호를 써 보세요.

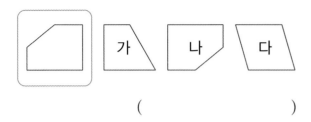

( )

02 □ 안에 알맞은 말을 써넣으세요.

한 직선을 따라 접어서 완전히 겹치는 도형을 [   ]이라고 합니다.

03 두 도형은 서로 합동입니다. □ 안에 알맞은 말을 써넣으세요.

04 선대칭도형을 찾아 ○표 하세요.

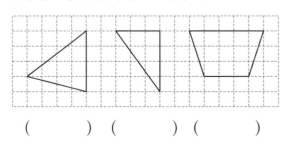

( ) ( ) ( )

05 오른쪽 도형과 서로 합동인 도형은 어느 것일까요?····( )

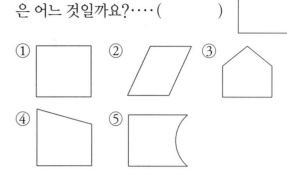

[06~07] 점대칭도형이면 ○표, 점대칭도형이 아니면 ×표 하세요.

06

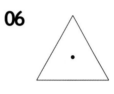

( )

07

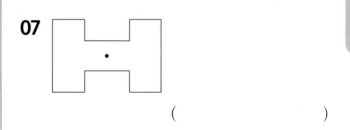

( )

[08~09] 도형을 보고 물음에 답하세요.

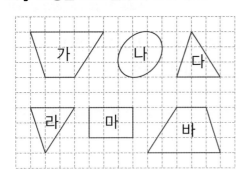

08 도형 가와 서로 합동인 도형을 찾아 기호를 써 보세요.

(   )

09 도형 마와 서로 합동인 도형을 그려 보세요.

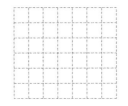

10 점대칭도형에서 대칭의 중심을 찾아 점 ㅇ으로 표시해 보세요.

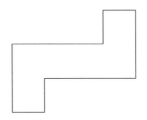

[11~12] 직선 ㅅㅇ을 대칭축으로 하는 선대칭도형입니다. 물음에 답하세요.

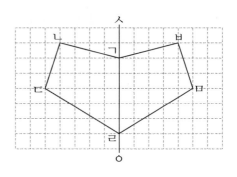

11 점 ㄴ의 대응점을 써 보세요.

(   )

12 변 ㄴㄷ의 대응변을 써 보세요.

(   )

[13~14] 두 사각형은 서로 합동입니다. 물음에 답하세요.

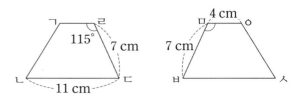

13 변 ㄱㄹ은 몇 cm일까요?

(   )

14 각 ㅇㅁㅂ은 몇 도일까요?

(   )

15 점 ㅇ을 대칭의 중심으로 하는 점대칭도형입니다. 변 ㄴㄷ과 길이가 같은 변을 찾아 써 보세요.

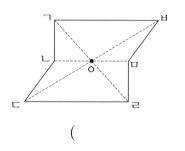

( )

16 점선을 따라 잘랐을 때 만들어진 두 도형이 합동이 되도록 점선을 그려 보세요.

17 선대칭도형이 되도록 완성해 보세요.

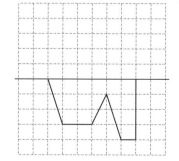

18 점 ㅇ을 대칭의 중심으로 하는 점대칭도형을 완성해 보세요.

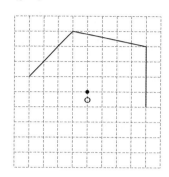

19 점대칭도형이 <u>아닌</u> 것은 어느 것일까요?
......................( )

① 원   ② 이등변삼각형
③ 정사각형   ④ 직사각형
⑤ 평행사변형

20 직선 ㄱㄴ을 대칭축으로 하는 선대칭도형입니다. ☐ 안에 알맞은 수를 써넣으세요.

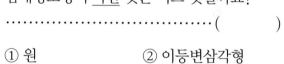

스피드 정답표 6쪽, 정답 및 풀이 28쪽

01 오른쪽과 같이 종이 두 장을 포개어 놓고 삼각형을 오렸을 때 두 삼각형의 모양과 크기가 똑같습니다. 이러한 두 도형의 관계를 무엇이라고 하는지 써 보세요.

( )

02 오른쪽 삼각형과 서로 합동인 도형을 찾아 기호를 써 보세요.

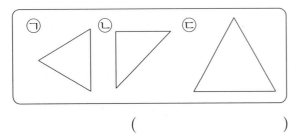

( )

03 보기와 같이 점대칭도형에서 대칭의 중심을 찾아 표시해 보세요.

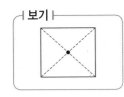 

04 두 도형은 서로 합동입니다. 대응변은 몇 쌍 있을까요?

( )

05 선대칭도형입니다. 대칭축을 모두 그려 보세요.

06 왼쪽 도형과 서로 합동인 도형을 그려 보세요.

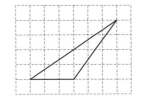

07 점선을 따라 잘랐을 때 잘린 두 도형이 서로 합동이 <u>아닌</u> 것은 어느 것일까요? ( )

① ② ③

④ ⑤

[08~09] 두 삼각형은 서로 합동입니다. 물음에 답하세요.

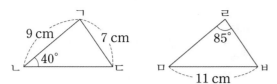

08 변 ㄹㅂ은 몇 cm일까요?

( )

09 각 ㄹㅁㅂ은 몇 도일까요?

( )

10 선대칭도형이 <u>아닌</u> 것은 어느 것일까요?
·····················( )

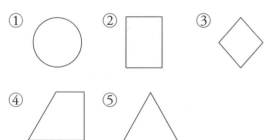

11 직선 ㅅㅇ을 대칭축으로 하는 선대칭도형입니다. 선분 ㅂㄹ과 대칭축 ㅅㅇ이 만나서 이루는 각은 몇 도일까요?

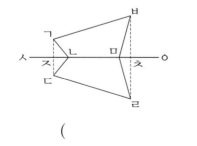

( )

12 직선 ㅈㅊ을 대칭축으로 하는 선대칭도형입니다. 각 ㄷㄹㅁ의 대응각을 써 보세요.

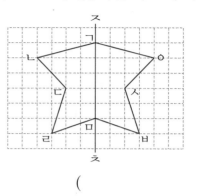

( )

13 점 ㅇ을 대칭의 중심으로 하는 점대칭도형을 완성해 보세요.

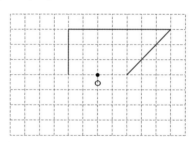

14 직선 ㄱㄴ을 대칭축으로 하는 선대칭도형입니다. □ 안에 알맞은 수를 써넣으세요.

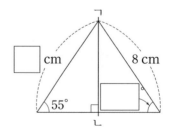

3
합동과 대칭

15 다음 선대칭도형에서 대칭축은 모두 몇 개일까요?

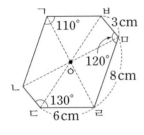

(   )

[16~17] 점 ㅇ을 대칭의 중심으로 하는 점대칭도형입니다. 물음에 답하세요.

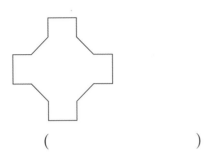

16 선분 ㄱㅇ과 길이가 같은 선분을 찾아 써 보세요.

(   )

17 각 ㄷㄹㅁ은 몇 도일까요?

(   )

18 두 사람 중 서로 합동이 되는 삼각형을 바르게 말한 사람의 이름을 써 보세요.

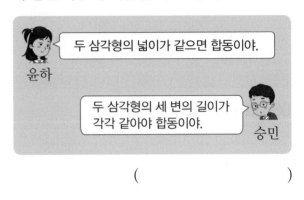

(   )

19 선대칭도형이면서 점대칭도형인 것을 모두 찾아 기호를 써 보세요.

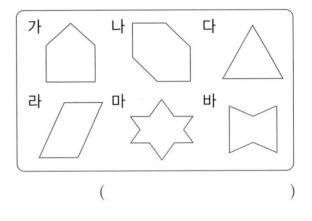

(   )

20 두 도형은 서로 합동입니다. 각 ㅁㅂㅅ은 몇 도인지 구하세요.

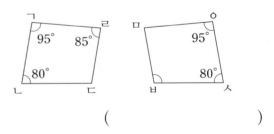

(   )

스피드 정답표 6쪽, 정답 및 풀이 28쪽

01 도형을 점선을 따라 잘랐을 때, 만들어진 두 도형이 서로 합동이면 ○표, 합동이 <u>아니면</u> ×표 하세요.

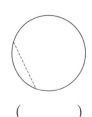   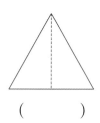

(   )   (   )

02 선대칭도형에서 대칭축을 찾아 기호를 써 보세요.

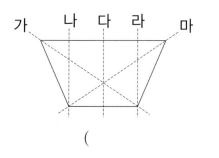

(   )

03 직선 ㅅㅇ을 대칭축으로 하는 선대칭도형입니다. 변 ㄱㅂ과 길이가 같은 변을 찾아 써 보세요.

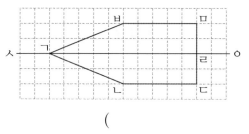

(   )

04 사각형에 선을 그어 서로 합동인 사각형 2개를 만들어 보세요.

[05~07] 두 사각형은 서로 합동입니다. 물음에 답하세요.

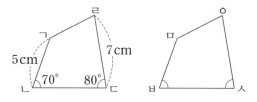

05 변 ㅁㅂ과 변 ㅇㅅ은 각각 몇 cm인지 구하세요.

변 ㅁㅂ (   )
변 ㅇㅅ (   )

06 각 ㅂㅅㅇ은 몇 도일까요?

(   )

07 각 ㅁㅂㅅ은 몇 도일까요?

(   )

08 다음 도형은 점대칭도형입니다. 대칭의 중심을 찾아 표시해 보세요.

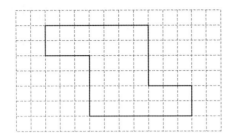

09 직선 ㄱㄴ을 대칭축으로 하는 선대칭도형을 완성하면 완성된 모양은 어떤 도형이 될까요?···(   )

① 삼각형   ② 사각형   ③ 오각형
④ 육각형   ⑤ 칠각형

[10~11] 도형을 보고 물음에 답하세요.

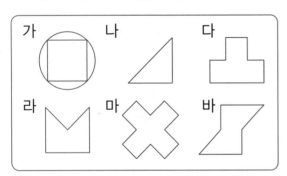

10 선대칭도형은 모두 몇 개일까요?

(   )

11 점대칭도형을 모두 찾아 써 보세요.

(   )

12 점 ㅇ을 대칭의 중심으로 하는 점대칭도형을 완성해 보세요.

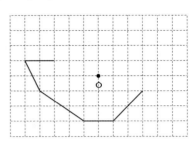

13 점대칭도형에 대한 설명으로 옳은 것을 모두 고르세요. ·················· (   )

① 대칭축은 1개입니다.
② 대응각의 크기는 서로 다릅니다.
③ 대칭의 중심은 여러 개인 경우도 있습니다.
④ 대응점끼리 이은 선분은 대칭의 중심을 지납니다.
⑤ 대칭의 중심에서 대응점까지의 거리는 각각 같습니다.

14 대칭축에 거울을 대었을 때 어떤 글자가 되는지 써 보세요.

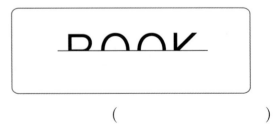

(   )

15 직선 ㅅㅇ을 대칭축으로 하는 선대칭도형입니다. □ 안에 알맞은 수를 써넣으세요.

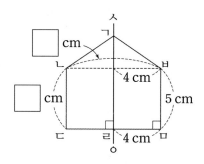

[16~17] 두 삼각형은 서로 합동입니다. 물음에 답하세요.

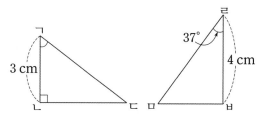

16 변 ㄴㄷ은 몇 cm일까요?

( )

17 각 ㄴㄱㄷ의 대응각을 찾고, 이 각의 크기를 구하세요.

( ), ( )

[18~19] 직선 ㅁㅂ을 대칭축으로 하는 선대칭도형입니다. 물음에 답하세요.

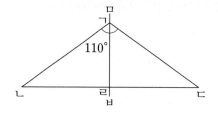

18 각 ㄱㄹㄷ은 몇 도일까요?

( )

19 각 ㄱㄷㄴ은 몇 도일까요?

( )

20 점 ㅇ을 대칭의 중심으로 하는 점대칭도형입니다. 삼각형 ㄹㄴㄷ의 둘레는 몇 cm인지 풀이 과정을 쓰고 답을 구하세요.

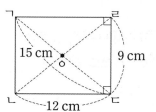

풀이

답 _____

스피드 정답표 7쪽, 정답 및 풀이 29쪽

01 오른쪽과 같이 종이 두 장을 포
개어 놓고 도형을 오렸습니다.
오려서 나오는 두 도형이 왜 서
로 합동인지 이유를 쓴 것을 보고
□ 안에 알맞은 말을 써넣으세요.

| □ (와)과 □ (이)가 같기 때문 입니다. |

02 점대칭도형을 모두 찾아 기호를 써 보세요.

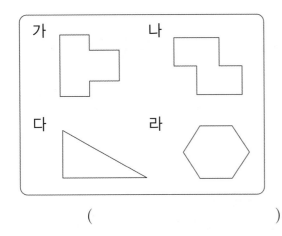

가 나
다 라

( )

[03~04] 점 ㅇ을 대칭의 중심으로 하는 점대칭도형
입니다. 물음에 답하세요.

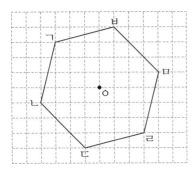

03 변 ㅂㅁ의 대응변을 찾아 써 보세요.

( )

04 각 ㄴㄷㄹ의 대응각을 찾아 써 보세요.

( )

05 왼쪽 도형과 서로 합동인 도형을 그려 보세요.

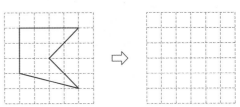

06 서로 합동인 도형 2개가 되도록 자를 수 없는
도형은 어느 것일까요? ·········· ( )

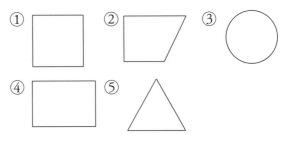

① ② ③
④ ⑤

[07~08] 두 사각형은 서로 합동입니다. 물음에 답하
세요.

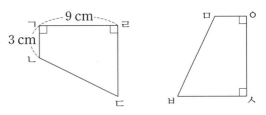

07 각 ㄴㄷㄹ의 대응각을 찾아 써 보세요.

( )

08 변 ㅁㅇ은 몇 cm일까요?

( )

09 주어진 직선을 대칭축으로 하여 선대칭도형을 완성해 보세요.

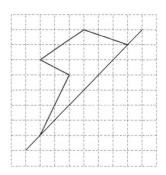

[10~11] 두 삼각형은 서로 합동입니다. 물음에 답하세요.

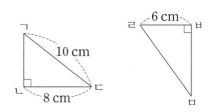

10 변 ㄹㅁ은 몇 cm일까요?

(   )

11 삼각형 ㄹㅁㅂ의 둘레는 몇 cm일까요?

(   )

12 점 ㅇ을 대칭의 중심으로 하는 점대칭도형을 완성해 보세요.

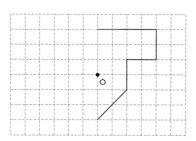

[13~14] 도형을 보고 물음에 답하세요.

A B D F H I N

13 선대칭도형을 모두 찾아 써 보세요.

(   )

14 점대칭도형을 모두 찾아 써 보세요.

(   )

15 항상 선대칭도형이면서 점대칭도형인 것을 말한 사람의 이름을 써 보세요.

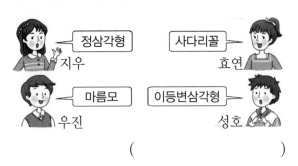

(   )

16 대칭축이 가장 많은 도형을 찾아 기호를 써 보세요.

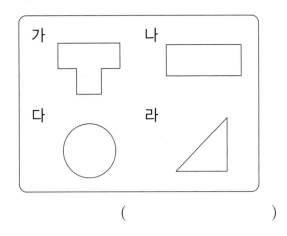

(   )

17 평행사변형에 대각선을 그은 것입니다. 서로 합동인 삼각형은 모두 몇 쌍일까요?

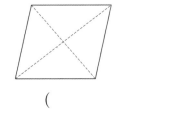

(   )

18 점 ㅇ을 대칭의 중심으로 하는 점대칭도형입니다. 점대칭도형의 둘레는 몇 cm일까요?

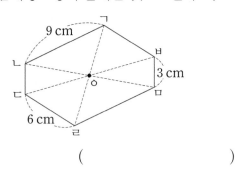

(   )

19 직선 ㄱㄴ을 대칭축으로 하는 선대칭도형입니다. □ 안에 알맞은 수를 써넣으세요.

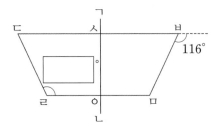

서술형

20 삼각형 ㄱㄴㄹ과 삼각형 ㄱㄷㄹ은 서로 합동입니다. 각 ㄱㄷㄹ은 몇 도인지 풀이 과정을 쓰고 답을 구하세요.

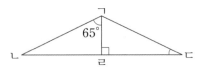

풀이

답 _____

스피드 정답표 7쪽, 정답 및 풀이 30쪽

[01~02] 도형을 보고 물음에 답하세요.

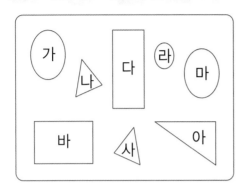

01 서로 합동인 도형을 모두 찾아 기호를 써 보세요.

( )

02 두 도형 다와 바가 서로 합동인지 아닌지 알아보려고 합니다. 알맞은 말에 ◯표 하세요.

> 다와 바는 변의 길이가 서로
> (같으므로 , 다르므로)
> (합동입니다 , 합동이 아닙니다).

03 점대칭도형을 모두 찾아 ◯표 하세요.

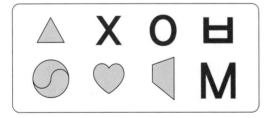

04 선대칭도형의 대칭축을 모두 그려 보세요.

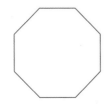

05 점 ㅇ을 대칭의 중심으로 하는 점대칭도형을 완성해 보세요.

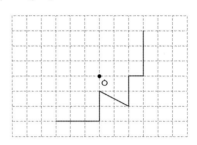

[06~07] 다음 설명을 보고 물음에 답하세요.

> ㉠ 대응변의 길이가 같습니다.
> ㉡ 대응점끼리 이은 선분이 한 점에서 만납니다.
> ㉢ 대응점끼리 이은 선분은 대칭축과 수직으로 만납니다.
> ㉣ 대칭의 중심이 1개뿐입니다.

06 선대칭도형에 대한 설명을 모두 찾아 기호를 써 보세요.

( )

07 점대칭도형에 대한 설명을 모두 찾아 기호를 써 보세요.

( )

08 두 사각형은 서로 합동입니다. 각 ㅇㅅㅂ은 몇 도일까요?

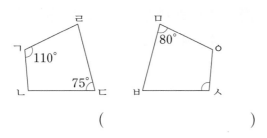

( )

[09~10] 점 ㅈ을 대칭의 중심으로 하는 점대칭도형입니다. 물음에 답하세요.

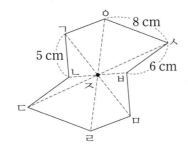

09 변 ㄷㄹ은 몇 cm일까요?

( )

10 점대칭도형의 둘레가 48 cm일 때 변 ㄹㅁ은 몇 cm일까요?

( )

[11~12] 도형을 보고 물음에 답하세요.

ㄱ ㄴ ㅁ ㅇ ㅍ

11 점대칭도형을 모두 찾아 써 보세요.

( )

12 대칭축이 가장 많은 선대칭도형을 찾아 써 보세요.

( )

13 두 삼각형이 다음과 같을 때 서로 합동이 되는 것을 찾아 기호를 써 보세요.

ㄱ 넓이가 서로 같을 때
ㄴ 세 변의 길이가 각각 같을 때
ㄷ 둘레가 서로 같을 때

( )

14 희선이네 집의 욕실에서 깨진 타일을 새 타일로 바꾸어 붙이려고 합니다. 가, 나, 다 중에서 바꾸어 붙일 수 있는 타일을 찾아 기호를 써 보세요.

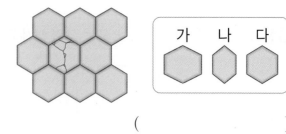

( )

15 두 삼각형은 서로 합동입니다. 삼각형 ㄹㅁㅂ의 둘레가 18 cm일 때 변 ㄱㄴ은 몇 cm일까요?

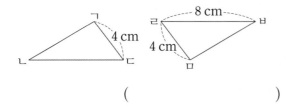

(   )

16 직선 ㅁㅂ을 대칭축으로 하는 선대칭도형입니다. 각 ㄹㄱㄷ은 몇 도일까요?

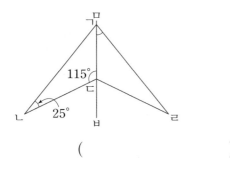

(   )

서술형

17 선분 ㄱㄹ을 대칭축으로 하는 선대칭도형입니다. 삼각형 ㄱㄴㄷ의 둘레는 몇 cm인지 풀이 과정을 쓰고 답을 구하세요.

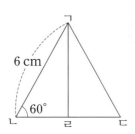

풀이

18 직사각형 안에 다음과 같이 평행사변형을 그렸습니다. 삼각형 ㅂㄴㅅ과 삼각형 ㅇㄹㅁ이 서로 합동일 때 선분 ㅅㄷ은 몇 cm일까요?

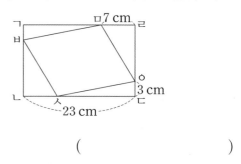

(   )

19 점 ㅇ을 대칭의 중심으로 하는 점대칭도형입니다. 선분 ㄱㅇ과 선분 ㄹㅇ의 길이가 같을 때, 각 ㄱㅇㄴ은 몇 도인지 구하세요.

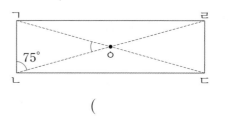

(   )

서술형

20 점 ㄹ을 대칭의 중심으로 하는 점대칭도형을 완성하려고 합니다. 완성할 점대칭도형 전체의 넓이는 몇 cm²인지 풀이 과정을 쓰고 답을 구하세요.

풀이

답 _____

답 _____

01 두 삼각형은 서로 합동입니다. 각 ㄱㄴㄷ은 몇 도인지 구하세요.

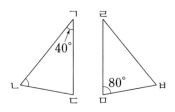

❶ 알맞은 말에 ○표 하세요.

합동인 두 도형은 대응각의 크기가 서로 (같습니다 , 다릅니다).

❷ 각각의 대응각을 찾아 써 보세요.

각 ㄱㄴㄷ	각 ㄴㄷㄱ	각 ㄷㄱㄴ

❸ 각 ㄱㄴㄷ은 몇 도일까요?

(   )

02 도장을 찍은 모양을 나타낸 것입니다. 이 중에서 선대칭도형도 되고 점대칭도형도 되는 것은 어느 것인지 구하세요.

❶ 선대칭도형이 되는 것을 모두 찾아 기호를 써 보세요.

(   )

❷ 점대칭도형이 되는 것을 모두 찾아 기호를 써 보세요.

(   )

❸ 선대칭도형도 되고 점대칭도형도 되는 것을 찾아 기호를 써 보세요.

(   )

03 오른쪽 도형은 선분 ㄱㄹ을 대칭축으로 하는 선대칭도형입니다. 선대칭도형의
둘레가 46 cm일 때 변 ㄱㄷ은 몇 cm인지 구하세요.

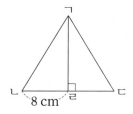

❶ 알맞은 말에 ○표 하세요.

　　선대칭도형에서 각각의 대응변의 길이는 서로 (같습니다 , 다릅니다).

❷ 변 ㄷㄹ은 몇 cm일까요?

　　변 ㄷㄹ의 대응변은 변 　　　　이므로 변 ㄷㄹ은 　　cm입니다.

　　　　　　　　　　　　　　　　　　　(　　　　　　　　　　)

❸ 변 ㄱㄷ은 몇 cm일까요?

　　　　　　　　　　　　　　　　　　　(　　　　　　　　　　)

04 점 ㅇ을 대칭의 중심으로 하는 점대칭도형입니다. 점대칭도형의 둘레는 몇
cm인지 구하세요.

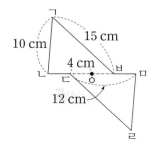

❶ 선분 ㅂㅇ은 몇 cm일까요?

　　점대칭도형에서 대칭의 중심은 대응점끼리 이은 선분을 똑같이 둘로 나누므로

　　(선분 ㅂㅇ)=(선분 ㄷㅇ)= 　　cm입니다.

　　　　　　　　　　　　　　　　　　　(　　　　　　　　　　)

❷ 변 ㅁㅂ은 몇 cm일까요?

　　　　　　　　　　　　　　　　　　　(　　　　　　　　　　)

❸ 점대칭도형의 둘레는 몇 cm일까요?

　　　　　　　　　　　　　　　　　　　(　　　　　　　　　　)

스피드 정답표 8쪽, 정답 및 풀이 31쪽

01 삼각형 ㄱㄴㅁ과 삼각형 ㅁㄷㄹ은 서로 합동입니다. 각 ㄱㅁㄹ은 몇 도인지 풀이 과정을 쓰고 답을 구하세요.

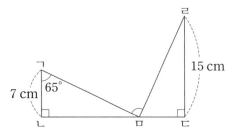

풀이

답 _____

어떻게 풀까요?

• 각 ㄱㅁㄴ의 크기를 구한 후 대응 각의 크기를 이용하여 각 ㄹㅁㄷ 의 크기를 구합니다.

02 유민이는 당근의 한 면에 다음과 같이 새겨서 도장을 만들었습니다. 도장에 새긴 모양 중 선대칭도형도 되고 점대칭도형도 되는 모양은 어느 것인지 기호를 쓰려고 합니다. 풀이 과정을 쓰고 답을 구하세요.

풀이

답 _____

어떻게 풀까요?

• 선대칭도형이 되는 모양을 먼저 찾은 후 그중에서 점대칭도형이 되는 모양을 찾습니다.

03 오른쪽 도형은 선분 ㄱㄹ을 대칭축으로 하는 선
대칭도형입니다. 선대칭도형의 둘레가 34 cm
일 때 변 ㄱㄷ은 몇 cm인지 풀이 과정을 쓰고
답을 구하세요.

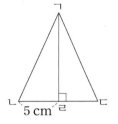

풀이

답 _____

어떻게 풀까요?

• 먼저 길이를 알 수 있는 대응변을
찾아 길이를 알아봅니다.
⇨ (선분 ㄴㄹ)=(선분 ㄷㄹ),
(선분 ㄱㄴ)=(선분 ㄱㄷ)

04 점 ㅇ을 대칭의 중심으로 하는 점대칭도형입니다. 점대칭도형의 둘레
는 몇 cm인지 풀이 과정을 쓰고 답을 구하세요.

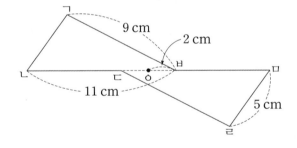

풀이

답 _____

어떻게 풀까요?

• 점대칭도형은 대응변의 길이가
같고, 대칭의 중심에서 대응점까
지의 거리가 같음을 이용하여 나
머지 선분의 길이를 알아봅니다.

③
합동과 대칭

스피드 정답표 8쪽, 정답 및 풀이 32쪽

오답률 32%

01 정사각형의 대칭축은 모두 몇 개일까요?

·· (   )

① 1개   ② 2개   ③ 3개

④ 4개   ⑤ 셀 수 없이 많습니다.

오답률 35%

02 다음 알파벳 중 점대칭도형은 모두 몇 개일까요?

·································· (   )

A D H L N O

① 1개   ② 2개   ③ 3개

④ 4개   ⑤ 5개

오답률 38%

03 점 ㅅ을 대칭의 중심으로 하는 점대칭도형의 둘레가 24 cm입니다. 변 ㄱㄴ은 몇 cm인지 구하세요.

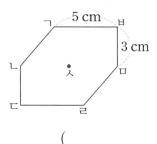

(   )

오답률 49%

04 선분 ㅅㅇ을 대칭축으로 하는 선대칭도형의 둘레가 40 cm입니다. 선분 ㄷㅇ은 몇 cm일까요?

·································· (   )

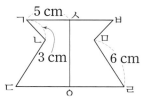

① 3 cm   ② 4 cm   ③ 5 cm

④ 6 cm   ⑤ 7 cm

오답률 57%

05 점 ㅇ을 대칭의 중심으로 하는 점대칭도형입니다. 각 ㄱㄹㄴ은 몇 도일까요?

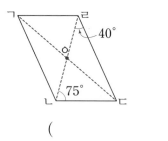

(   )

CONTENTS

4

소수의 곱셈

개념 1 (소수)×(자연수)⑴

● 0.3×4의 계산

방법 1 $0.3×4=0.3+0.3+0.3+0.3=1.2$

방법 2 0.3×4는 0.1이 3개씩 4묶음이므로 0.1이 모두 12개입니다. ⇨ $0.3×4=1.2$

방법 3 $0.3×4=\dfrac{3}{10}×4=\dfrac{3×4}{10}=\dfrac{12}{10}=$ ❶

개념 2 (소수)×(자연수)⑵

● 1.25×3의 계산

방법 1 $1.25×3=1.25+1.25+1.25=3.75$

방법 2 1.25×3은 0.01이 $125×3=375$(개)입니다. ⇨ $1.25×3=3.75$

방법 3 $1.25×3=\dfrac{125}{100}×3=\dfrac{375}{100}=$ ❷

개념 3 (자연수)×(소수)⑴

● 3×0.6의 계산

방법 1 $3×0.6=3×\dfrac{6}{10}=\dfrac{18}{10}=1.8$

방법 2

$$3 \quad × \quad 6 \quad = \quad 18$$
$$\downarrow \tfrac{1}{10}배 \qquad \downarrow \tfrac{1}{10}배$$
$$3 \quad × \quad 0.6 \quad = \quad 1.8$$

개념 4 (자연수)×(소수)⑵

● 4×1.24의 계산

방법 1 $4×1.24=4×\dfrac{124}{100}=\dfrac{496}{100}=4.96$

방법 2

$$4 \quad × \quad 124 \quad = \quad 496$$
$$\downarrow \tfrac{1}{100}배 \qquad \downarrow \tfrac{1}{100}배$$
$$4 \quad × \quad 1.24 \quad = \quad ❸$$

개념 5 (소수)×(소수)⑴

● 0.6×0.8의 계산

방법 1 $0.6×0.8=\dfrac{6}{10}×\dfrac{8}{10}=\dfrac{48}{100}=0.48$

방법 2

$$6 \quad × \quad 8 \quad = \quad 48$$
$$\downarrow \tfrac{1}{10}배 \qquad \downarrow \tfrac{1}{10}배 \qquad \downarrow \tfrac{1}{100}배$$
$$0.6 \quad × \quad 0.8 \quad = \quad ❹$$

방법 3

$$\begin{array}{r} 0.6 \\ ×\,0.8 \\ \hline 4\,8 \end{array} \quad ⇨ \quad \begin{array}{r} 0.6 \\ ×\,0.8 \\ \hline 0.4\,8 \end{array}$$

→ 자연수처럼 생각하고 계산한 다음 소수의 크기를 생각하여 소수점을 찍습니다.

개념 6 (소수)×(소수)⑵

● 1.2×2.3의 계산

방법 1 $1.2×2.3=\dfrac{12}{10}×\dfrac{23}{10}=\dfrac{276}{100}=2.76$

방법 2

$$12 \quad × \quad 23 \quad = \quad 276$$
$$\downarrow \tfrac{1}{10}배 \qquad \downarrow \tfrac{1}{10}배 \qquad \downarrow \tfrac{1}{100}배$$
$$1.2 \quad × \quad 2.3 \quad = \quad 2.76$$

개념 7 곱의 소수점 위치

● 자연수와 소수의 곱셈에서 곱의 소수점 위치

(1) $1.52×1=1.52$
$1.52×10=15.2$
$1.52×100=152$
$1.52×1000=1520$

→ 곱하는 수의 0이 하나씩 늘어날 때마다 곱의 소수점이 오른쪽으로 한 칸씩 옮겨집니다.

(2) $2765×1=2765$
$2765×0.1=276.5$
$2765×0.01=27.65$
$2765×0.001=2.765$

→ 곱하는 소수의 소수점 아래 자리 수가 하나씩 늘어날 때마다 곱의 소수점이 왼쪽으로 한 칸씩 옮겨집니다.

● 소수끼리의 곱셈에서 곱의 소수점 위치

$8×4=32$
$0.8×0.4=0.32$
$0.8×0.04=0.032$
$0.08×0.04=$ ❺

→ 곱하는 두 수의 소수점 아래 자리 수를 더한 것과 결과 값의 소수점 아래 자리 수가 같습니다.

| 정답 | ❶ 1.2 ❷ 3.75 ❸ 4.96 ❹ 0.48 ❺ 0.0032

단원 **쪽지시험** 1회   소수의 곱셈   점수

▶ (소수)×(자연수)⑴ ~ (소수)×(자연수)⑵   스피드 정답표 8쪽, 정답 및 풀이 32쪽

[01~02] 1.4×2를 두 가지 방법으로 구하려고 합니다. 물음에 답하세요.

01 1.4×2에 알맞게 색칠하고 그 값을 구하세요.

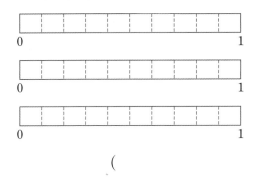

(   )

02 ☐ 안에 알맞은 수를 써넣으세요.

1.4×2는 1이 2개, 0.1이 ☐ 개입니다.

0.1이 8개이면 ☐ 입니다.

⇨ 1.4×2=2+☐ = ☐

[03~05] 0.5×3을 세 가지 방법으로 계산한 것입니다. ☐ 안에 알맞은 수를 써넣으세요.

03 $0.5×3=0.5+0.5+☐ = ☐$

04 $0.5×3=\dfrac{☐}{10}×3=\dfrac{☐×3}{10}$

$=\dfrac{☐}{10}=☐$

05 0.5는 0.1이 ☐ 개입니다.

0.5×3은 0.1이 5개씩 ☐ 묶음이므로

0.1이 모두 ☐ 개입니다.

따라서 0.5×3=☐ 입니다.

[06~08] 1.48×4를 세 가지 방법으로 계산한 것입니다. ☐ 안에 알맞은 수를 써넣으세요.

06 1.48×4

=1.48+1.48+☐ +1.48

=☐

07 $1.48×4=\dfrac{☐}{100}×4=\dfrac{☐×4}{100}$

$=\dfrac{☐}{100}=☐$

08 1.48은 0.01이 ☐ 개입니다.

1.48×4는 0.01이 148×4=☐ (개)

이므로 ☐ 입니다.

[09~10] 계산해 보세요.

09 0.95×7

10 8.6×6

01 5×1.4를 그림으로 계산하려고 합니다. 그림을 보고 □ 안에 알맞은 수를 써넣으세요.

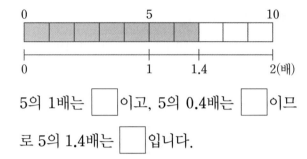

5의 1배는 □이고, 5의 0.4배는 □이므로 5의 1.4배는 □입니다.

[02~03] 3×0.2를 두 가지 방법으로 계산하려고 합니다. □ 안에 알맞은 수를 써넣으세요.

02 $3 \times 0.2 = 3 \times \dfrac{\boxed{}}{10} = \dfrac{3 \times \boxed{}}{10}$

$= \dfrac{\boxed{}}{10} = \boxed{}$

03
$3 \times 2 = \boxed{}$

$\frac{1}{10}$배 $\quad$ $\frac{1}{10}$배

$3 \times 0.2 = \boxed{}$

[04~05] 16×2.8을 두 가지 방법으로 계산하려고 합니다. □ 안에 알맞은 수를 써넣으세요.

04 $16 \times 2.8 = 16 \times \dfrac{\boxed{}}{10} = \dfrac{16 \times \boxed{}}{10}$

$= \dfrac{\boxed{}}{10} = \boxed{}$

05
$16 \times 28 = \boxed{}$

$\frac{1}{10}$배 $\quad$ $\frac{1}{10}$배

$16 \times 2.8 = \boxed{}$

[06~07] 보기와 같은 방법으로 계산해 보세요.

┌ 보기 ┐
$$7 \times 0.74 = 7 \times \frac{74}{100} = \frac{7 \times 74}{100}$$
$$= \frac{518}{100} = 5.18$$

06 22×0.8

07 8×2.09

[08~10] 계산해 보세요.

08 9×0.8

09 15×0.16

10 30×5.12

01 그림을 보고 0.7×0.8은 얼마인지 구하세요.

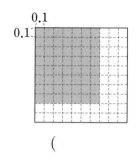

(   )

[02~03] 0.26×0.7을 두 가지 방법으로 계산하려고 합니다. □ 안에 알맞은 수를 써넣으세요.

02 $0.26 \times 0.7 = \dfrac{\boxed{}}{100} \times \dfrac{7}{10} = \dfrac{26 \times \boxed{}}{1000}$

$= \dfrac{\boxed{}}{1000} = \boxed{}$

03

$26 \quad \times \quad 7 \quad = \quad \boxed{}$

$\Big\downarrow \frac{1}{100}$배 $\quad \Big\downarrow \frac{1}{10}$배 $\qquad \Big\downarrow \frac{1}{1000}$배

$0.26 \quad \times \quad 0.7 \quad = \quad \boxed{}$

[04~05] 1.2×2.8을 두 가지 방법으로 계산하려고 합니다. □ 안에 알맞은 수를 써넣으세요.

04 $1.2 \times 2.8 = \dfrac{12}{10} \times \dfrac{\boxed{}}{10} = \dfrac{12 \times \boxed{}}{100}$

$= \dfrac{\boxed{}}{100} = \boxed{}$

05

$12 \quad \times \quad 28 \quad = \quad \boxed{}$

$\Big\downarrow \frac{1}{10}$배 $\quad \Big\downarrow \frac{1}{10}$배 $\qquad \Big\downarrow \frac{1}{100}$배

$1.2 \quad \times \quad 2.8 \quad = \quad \boxed{}$

[06~07] 보기와 같은 방법으로 계산해 보세요.

┤보기├
$$0.5 \times 0.3 = \frac{5}{10} \times \frac{3}{10} = \frac{15}{100} = 0.15$$

06 0.9×0.47

07 3.56×1.5

[08~10] 48×32=1536을 이용하여 계산해 보세요.

08 4.8×0.32

09 4.8×3.2

10
$$\begin{array}{r} 0.4\,8 \\ \times\ 0.3\,2 \\ \hline \end{array}$$

[01~02] 곱의 소수점 위치를 알아보려고 합니다. □ 안에 알맞은 수를 써넣으세요.

01 $0.6 \times 0.3 = \dfrac{6}{10} \times \dfrac{\boxed{}}{10}$

$= \dfrac{\boxed{}}{100} = \boxed{}$

02 $0.6 \times 0.03 = \dfrac{6}{10} \times \dfrac{\boxed{}}{100}$

$= \dfrac{\boxed{}}{1000} = \boxed{}$

[03~05] □ 안에 알맞은 수를 써넣으세요.

03 $0.89 \times 1 = 0.89$

$0.89 \times 10 = \boxed{}$

$0.89 \times 100 = \boxed{}$

$0.89 \times 1000 = \boxed{}$

04 $4130 \times 1 = 4130$

$4130 \times 0.1 = \boxed{}$

$4130 \times 0.01 = \boxed{}$

$4130 \times 0.001 = \boxed{}$

05 $8 \times 4 = 32$

$0.8 \times 0.4 = \boxed{}$

$0.8 \times 0.04 = \boxed{}$

$0.08 \times 0.04 = \boxed{}$

[06~08] 보기 를 이용하여 계산해 보세요.

┌ 보기 ┐
$$96 \times 14 = 1344$$

06 9.6×1.4

07 0.96×0.14

08 9600×1.4

[09~10] 보기 를 이용하여 □ 안에 알맞은 수를 써넣으세요.

┌ 보기 ┐
$$826 \times 14 = 11564$$

09 $8.26 \times \boxed{} = 1.1564$

10 $\boxed{} \times 0.14 = 1156.4$

[01~02] 그림을 보고 □ 안에 알맞은 수를 써넣으세요.

01

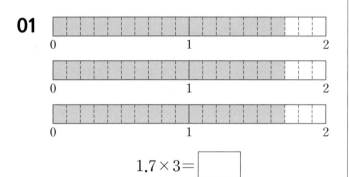

$$1.7 \times 3 = \boxed{}$$

02

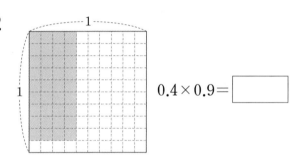

$$0.4 \times 0.9 = \boxed{}$$

[03~04] □ 안에 알맞은 수를 써넣으세요.

03 $0.34 \times 9 = \dfrac{\boxed{}}{100} \times 9 = \dfrac{\boxed{} \times 9}{100}$

$= \dfrac{\boxed{}}{100} = \boxed{}$

04 $1.56 \times 2.3 = \dfrac{\boxed{}}{100} \times \dfrac{23}{10}$

$= \dfrac{\boxed{}}{1000} = \boxed{}$

05 0.8×12를 계산한 것입니다. □ 안에 알맞은 수를 써넣으세요.

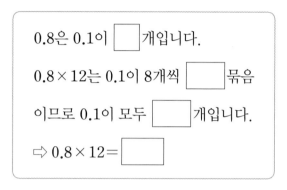

0.8은 0.1이 □ 개입니다.

0.8×12는 0.1이 8개씩 □ 묶음

이므로 0.1이 모두 □ 개입니다.

⇨ $0.8 \times 12 = \boxed{}$

[06~07] 분수의 곱셈으로 계산해 보세요.

06 2×0.7

07 4×1.8

[08~09] $26 \times 18 = 468$을 이용하여 □ 안에 알맞은 수를 써넣으세요.

08 $0.26 \times 1.8 = \boxed{}$

09 $260 \times 0.18 = \boxed{}$

[10~11] 계산해 보세요.

10 0.8×9

11 34×0.07

12 보기와 같은 방법으로 계산해 보세요.

┌ 보기 ┐
$$14 \times 0.3 = 14 \times \frac{3}{10} = \frac{42}{10} = 4.2$$

25×0.9

13 빈칸에 알맞은 수를 써넣으세요.

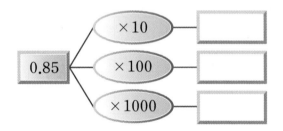

14 $36 \times 14 = 504$를 이용하여 □ 안에 알맞은 수를 써넣으세요.

$$0.36 \times 14 = \boxed{}$$

15 두 소수의 곱을 구하세요.

3.6   0.2

(   )

16 계산 결과를 비교하여 ○ 안에 >, =, <를 알맞게 써넣으세요.

0.15×0.8 ◯ 0.2×0.34

17 ┃보기┃에서 □ 안에 알맞은 수를 찾아 써넣으세요.

┃보기┃
0.1   10   0.01   1000

0.139× □ =139

18 어림하여 계산 결과가 3보다 큰 것을 찾아 기호를 써 보세요.

㉠ 0.38×6
㉡ 1.2×2
㉢ 5×0.64

(   )

19 지호가 딸기우유를 만들기 위해 우유를 사려고 합니다. 필요한 우유의 양이 0.2 L씩 4컵일 때 사야 하는 우유는 모두 몇 L일까요?

(   )

20 직사각형의 넓이는 몇 cm²일까요?

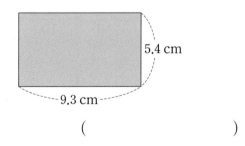

5.4 cm

9.3 cm

(   )

01 5의 0.7만큼 색칠하고 □ 안에 알맞은 수를 써넣으세요.

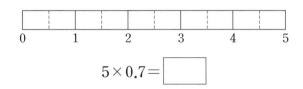

$$5 \times 0.7 = \boxed{}$$

02 0.8×0.6만큼 색칠하고 □ 안에 알맞은 수를 써넣으세요.

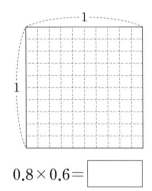

$$0.8 \times 0.6 = \boxed{}$$

[03~04] □ 안에 알맞은 수를 써넣으세요.

03 $7 \times 0.5 = 7 \times \dfrac{\boxed{}}{10} = \dfrac{\boxed{}}{10} = \boxed{}$

04 $0.3 \times 1.8 = \dfrac{3}{10} \times \dfrac{\boxed{}}{10} = \dfrac{\boxed{}}{100}$

$= \boxed{}$

05 2.1×5를 계산한 것입니다. □ 안에 알맞은 수를 써넣으세요.

> 2.1은 0.1이 $\boxed{}$ 개입니다.
>
> 2.1×5는 0.1이 모두 $\boxed{}$ 개이므로
>
> 2.1×5= $\boxed{}$ 입니다.

06 곱에 알맞게 소수점을 찍어야 할 곳을 찾아 기호를 써 보세요.

> $$23.806 \times 100 = 0 \quad 2 \quad 3 \quad 8 \quad 0 \quad 6$$
> $$\uparrow \quad \uparrow \quad \uparrow \quad \uparrow \quad \uparrow$$
> $$㉠ \quad ㉡ \quad ㉢ \quad ㉣ \quad ㉤$$

( )

[07~08] 계산해 보세요.

07 0.28×6

08
$$\begin{array}{r} 7.3 \\ \times\, 0.5 \\ \hline \end{array}$$

09 빈칸에 알맞은 수를 써넣으세요.

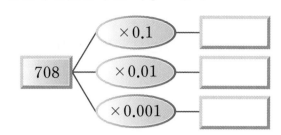

10 보기와 같은 방법으로 계산해 보세요.

┌ 보기 ┐
$$0.4 \times 1.3 = \frac{4}{10} \times \frac{13}{10} = \frac{52}{100} = 0.52$$

0.8×0.74

11 1.5×0.05의 값이 얼마인지 어림하여 기호를 써 보세요.

| ㉠ 7.5 | ㉡ 0.75 | ㉢ 0.075 |

(   )

12 $605 \times 17 = 10285$를 이용하여 □ 안에 알맞은 수를 써넣으세요.

┌ $6.05 \times 17 =$ ☐

└ $60.5 \times 0.17 =$ ☐

13 계산 결과를 비교하여 ○ 안에 >, =, <를 알맞게 써넣으세요.

$$3.67 \times 12 \bigcirc 36.7 \times 1.2$$

14 계산 결과를 찾아 선으로 이어 보세요.

36×1.4		59.4
27×2.2		50.4
		57.4

15 ☐ 안에 알맞은 수를 써넣으세요.

$$5710 \times \boxed{} = 5.71$$

16 어림하여 계산 결과가 6보다 작은 것을 찾아 기호를 써 보세요.

> ㉠ 10의 0.65배
> ㉡ 5의 1.5배
> ㉢ 8의 0.4배

( )

17 상호의 몸무게는 48 kg입니다. 동생 준호의 몸무게는 몇 kg일까요?

네 몸무게는 몇 kg이야?

형 몸무게의 0.75배야.

상호   준호

( )

18 소민이네 집에는 0.65 L짜리 우유가 매일 하나씩 배달됩니다. 소민이네 집에 일주일 동안 배달되는 우유는 모두 몇 L일까요?

( )

19 한 변의 길이가 2.6 cm인 정사각형의 넓이는 몇 cm²일까요?

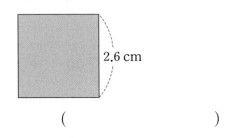

2.6 cm

( )

20 세제 회사에서 세제의 양을 2.5 L에서 1.2배로 늘린 기획 상품 세제를 출시하였습니다. 기획 상품 세제는 몇 L일까요?

( )

스피드 정답표 9쪽, 정답 및 풀이 34쪽

01 음료수는 모두 몇 L인지 □ 안에 알맞은 수를 써넣으세요.

$$0.5 \times 5 = \boxed{} \, (L)$$

[02~03] 0.7×0.9를 두 가지 방법으로 계산하려고 합니다. □ 안에 알맞은 수를 써넣으세요.

02 $0.7 \times 0.9 = \dfrac{\boxed{}}{10} \times \dfrac{9}{10} = \dfrac{\boxed{}}{100}$

$$= \boxed{}$$

03
$$7 \quad \times \quad 9 \quad = \boxed{}$$
$\dfrac{1}{10}$배 $\dfrac{1}{10}$배 $\boxed{\dfrac{1}{}}$배
$$0.7 \quad \times \quad 0.9 \quad = \boxed{}$$

04 어림하여 계산 결과가 4보다 큰 것을 찾아 기호를 써 보세요.

┌─────────────────────────────┐
│ ㉠ 2.2×2 ㉡ 1.8×2 │
└─────────────────────────────┘

$$()$$

[05~06] 계산해 보세요.

05 8×2.7

06
$$\begin{array}{r} 3.0\,5 \\ \times \quad 0.4 \\ \hline \end{array}$$

07 □ 안에 알맞은 수를 써넣으세요.

$$5 \times 8 = \boxed{}$$

$$5 \times 0.8 = \boxed{}$$

$$5 \times 0.08 = \boxed{}$$

$$5 \times 0.008 = \boxed{}$$

08 계산 결과를 찾아 선으로 이어 보세요.

| 6×3.1 • | | • 2.52 |
| 1.2×2.1 • | | • 18.6 |

09 빈칸에 알맞은 수를 써넣으세요.

×	10	100	0.1
2.3			

10 빈칸에 알맞은 수를 써넣으세요.

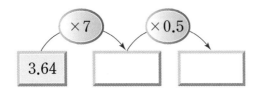

11 320×0.83과 곱이 같은 것을 모두 고르세요.
·· (   )

① 32×8.3   ② 32×83

③ 3.2×0.83   ④ 3.2×8.3

⑤ 0.32×830

12 68×6＝408을 이용하여 □ 안에 알맞은 수를 써넣으세요.

6.8×6＝ ☐

0.68×6＝ ☐

0.068×6＝ ☐

13 계산 결과를 비교하여 ○ 안에 ＞, ＝, ＜를 알맞게 써넣으세요.

96×0.04 ◯ 0.96×0.4

14 다음 식에서 잘못 계산한 곳을 찾아 이유를 쓰고 바르게 고쳐 보세요.

$$60 \times 0.3 = 60 \times \frac{3}{10} = \frac{60 \times 3}{10}$$

$$= \frac{180}{10} = 1.8$$

이유 _____

_____

바르게 고치기 _____

_____

15 빈칸에 알맞은 수를 써넣으세요.

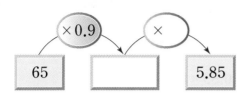

16 수미가 5일 동안 달린 거리는 몇 km일까요?

형석   수미

(   )

17 굵기가 일정한 철근 1 m의 무게가 1.68 kg 입니다. 이 철근 5 m의 무게는 몇 kg일까요?

(   )

18 곱이 가장 큰 것은 어느 것일까요? (   )

① 917×0.5 ② 917×0.005

③ 91.7×0.5 ④ 91.7×0.05

⑤ 917×0.05

19 현지는 이번 주 월요일부터 토요일까지 하루에 1시간 30분씩 운동을 했습니다. 이번 주에 현지가 운동을 한 시간은 몇 시간일까요?

(   )

20 금성에서 잰 몸무게는 지구에서 잰 몸무게의 0.91배라고 합니다. 지구에서 잰 영호의 몸무게가 38 kg일 때 금성에서 잰 영호의 몸무게는 몇 kg일까요?

(   )

스피드 정답표 9쪽, 정답 및 풀이 35쪽

01 색칠한 부분의 넓이는 몇 m^2인지 □ 안에 알맞은 수를 써넣으세요.

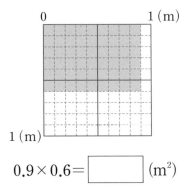

0   1 (m)

1 (m)

$0.9 \times 0.6 = \boxed{}$ (m^2)

[02~03] □ 안에 알맞은 수를 써넣으세요.

02 $15 \times 0.27 = 15 \times \dfrac{27}{\boxed{}} = \dfrac{\boxed{}}{100}$

$= \boxed{}$

03 $4.6 \times 7.6 = \dfrac{46}{10} \times \dfrac{76}{\boxed{}} = \dfrac{\boxed{}}{100}$

$= \boxed{}$

04 자연수의 곱셈을 이용하여 □ 안에 알맞은 수를 써넣으세요.

$24 \times 3 = 72$

$0.024 \times 3 = \boxed{}$

[05~06] 계산해 보세요.

05 0.89×0.31

06 0.7×38

07 계산이 옳은 것은 어느 것일까요? (　　　)

① $0.78 \times 10 = 78$

② $0.63 \times 100 = 6.3$

③ $15 \times 0.01 = 1.5$

④ $290 \times 0.01 = 2.9$

⑤ $4.1 \times 1000 = 410$

08 곱하는 두 수의 크기를 생각하여 결과 값에 소수점을 찍어 보세요.

$143 \times 2.9 = 4\;1\;4\;7$

09 □ 안에 알맞은 수를 써넣으세요.

$$38.02 \times \boxed{} = 3802$$

10 계산 결과를 비교하여 ○ 안에 >, =, <를 알맞게 써넣으세요.

$$2.03 \times 7 \bigcirc 4 \times 3.7$$

11 어림하여 계산 결과가 3보다 작은 것을 찾아 기호를 써 보세요.

> ㉠ 7의 0.55배
> ㉡ 3의 1.26배
> ㉢ 10의 0.2배

( )

12 0.47×8을 어림하여 계산하려고 합니다. 계산 결과를 <u>잘못</u> 말한 곳을 찾아 쓰고, <u>잘못</u> 말한 부분을 바르게 고쳐 보세요.

> 0.5와 8의 곱으로 어림할 수 있으므로 결과는 40 정도가 됩니다.

잘못 말한 부분 _____

바르게 고치기 _____

13 평행사변형의 넓이는 몇 cm^2일까요?

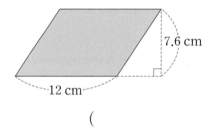

7.6 cm

12 cm

( )

14 □ 안에 알맞은 수가 가장 작은 것은 어느 것일까요?·····················( )

① $72.98 \times \boxed{} = 7298$

② $7.298 \times \boxed{} = 729.8$

③ $7298 \times \boxed{} = 72.98$

④ $7298 \times \boxed{} = 7.298$

⑤ $729.8 \times \boxed{} = 7298$

15 가장 큰 수와 가장 작은 수의 곱을 구하세요.

| 8.2 | 3.81 | 0.63 | 4.9 |

( )

16 현서는 한 달에 용돈을 20000원 사용합니다. 한 달에 사용하는 용돈 중에서 간식비를 조절하면 용돈의 0.27배만큼 아낄 수 있습니다. 간식비를 조절했을 때 현서가 한 달 동안 아낄 수 있는 용돈은 얼마인지 풀이 과정을 쓰고 답을 구하세요.

풀이

답 _____

17 □ 안에 들어갈 수 있는 가장 큰 자연수를 구하세요.

| $2.37 \times 4.5 > □$ |

( )

18 1분 동안 1.16 km를 달리는 자동차가 있습니다. 같은 빠르기로 15분 동안에는 몇 km를 달릴 수 있을까요?

( )

19 보기를 이용하여 ㉠과 ㉡ 중 더 큰 수를 찾아 기호를 써 보세요.

보기
$513 \times 25 = 12825$

- $5.13 \times ㉠ = 1.2825$
- $㉡ \times 2500 = 1282.5$

( )

20 아버지의 몸무게는 80.5 kg이고, 은혜의 몸무게는 아버지 몸무게의 0.6배입니다. 어머니의 몸무게가 은혜 몸무게의 1.2배일 때, 어머니의 몸무게는 몇 kg일까요?

( )

스피드 정답표 9쪽, 정답 및 풀이 36쪽

[01~02] 계산해 보세요.

01 0.68×125

02 2.8×4.7

[03~04] 0.3×0.9를 두 가지 방법으로 계산하려고 합니다. 물음에 답하세요.

03 분수의 곱셈으로 바꾸어 계산해 보세요.

0.3×0.9

04 자연수의 곱셈을 이용하여 계산해 보세요.

$3 \times 9 = \boxed{}$ 이므로 $0.3 \times 0.9 = \boxed{}$ 입니다.

05 크기가 <u>다른</u> 것을 찾아 기호를 써 보세요.

> ㉠ 58의 0.1배
>
> ㉡ 0.58의 10배
>
> ㉢ 580의 0.001배

(   )

06 계산 결과가 같은 것끼리 선으로 이어 보세요.

| 13.6×2.6 | • | • | 13.6×0.26 |

| 1.36×2.6 | • | • | 136×0.26 |

| 13.6×0.026 | • | • | 0.136×2.6 |

07 $36 \times 121 = 4356$을 이용하여 □ 안에 알맞은 수를 써넣으세요.

$3.6 \times \boxed{} = 4.356$

08 곱의 소수점 아래 자리 수가 가장 많은 것을 찾아 기호를 써 보세요.

> ㉠ 22.7×3.4 ㉡ 16.5×0.01
>
> ㉢ 31×1.62 ㉣ 0.573×100

(   )

서술형

09 정삼각형의 둘레는 몇 cm인지 풀이 과정을 쓰고 답을 구하세요.

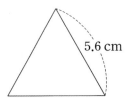

5.6 cm

풀이

답 _____

10 굵기가 일정한 철근 1 m의 무게가 1.7 kg입니다. 이 철근 8.6 m의 무게는 몇 kg일까요?

(   )

11 민호네 화단은 가로가 16 m, 세로가 8.8 m인 직사각형 모양입니다. 이 화단의 넓이는 몇 m²일까요?

(   )

12 정국이의 공부 시간표를 보고 수학 공부를 하는 시간은 모두 몇 시간인지 구하세요.

정국이의 공부 시간표

월	화	수	목	금
국어 1.5시간	수학 2.5시간	영어 3.2시간	수학 2.5시간	영어 3.2시간

(   )

13 효정이가 환전을 하는 시각에 태국 돈 1바트(THB)는 우리나라 돈으로 33.45원입니다. 이때 500바트를 우리나라 돈으로 바꾸면 얼마일까요?

(   )

14 계산 결과가 가장 큰 것을 찾아 기호를 써 보세요.

> ㉠ 0.653×100 ㉡ 7.7×6.5
>
> ㉢ 584×0.1 ㉣ 4.2×16

(   )

15 호수 둘레에 다음과 같이 운동 코스가 있습니다. 태형이가 일주일에 4번 산책로를 걷는다면 일주일 동안 산책로를 모두 몇 km 걷게 되는지 구하세요.

〈운동 코스〉
• 자전거 도로 9.5 km
• 산책로 5.45 km
• 인라인 스케이트 도로 6.2 km

( )

16 지민이는 3000원으로 쿠키를 사려고 합니다. 쿠키는 한 개에 15.5 g이고 1 g당 35.6원입니다. 지민이는 이 쿠키를 몇 개까지 살 수 있을까요?

15.5 g

( )

17 계산기로 0.85×0.2를 계산하려고 두 수를 눌렀는데 수 하나의 소수점 위치를 잘못 눌렀더니 계산 결과가 1.7이 나왔습니다. 계산기에 누른 두 수를 구하세요.

( )

18 과학 시간에 실험을 하기 위해 가와 나 두 식물을 키우고 있습니다. 가 식물의 키는 0.752 m이고, 나 식물의 키는 가 식물 키의 1.2배입니다. 나 식물의 키는 몇 cm일까요?

( )

19 한 변의 길이가 5.6 cm인 정사각형 모양의 색종이 6장 반을 책상 위에 겹치지 않게 놓았습니다. 색종이를 놓은 부분의 넓이는 모두 몇 cm²일까요?

( )

서술형
20 1 km를 달리는 데 휘발유가 0.18 L 드는 오토바이가 있습니다. 이 오토바이가 한 시간에 65 km를 가는 빠르기로 1시간 45분 동안 가려면 필요한 휘발유는 몇 L인지 풀이 과정을 쓰고 답을 구하세요.

풀이

답 _____

01 선영이는 5000원으로 초콜릿을 사려고 합니다. 사려는 초콜릿은 240 g으로 1 g 당 가격은 19.2원입니다. 선영이가 가진 돈으로 초콜릿을 살 수 있을지 알아보고, 그 이유를 써 보세요.

초콜릿 240 g
(1 g당: 19.2원)

❶ 초콜릿의 가격을 어림하여 알아보세요.

초콜릿 1 g당 가격을 19.2원보다 많은 20원으로 어림하면

초콜릿 가격은 240×20=〔   〕(원)입니다.

❷ 선영이가 가진 돈으로 초콜릿을 살 수 있을지 알아보고 그 이유를 쓰려고 합니다. 알맞은 것에 ○표 하세요.

초콜릿을 살 수 (있습니다 , 없습니다).

왜냐하면 240×20은 5000보다 (작기 , 크기) 때문입니다.

02 961×4=3844를 이용하여 ㉠은 ㉡의 몇 배인지 구하세요.

· 9.61×㉠=3.844
· 96.1×㉡=0.3844

❶ ㉠에 알맞은 수를 구하세요.

(   )

❷ ㉡에 알맞은 수를 구하세요.

(   )

❸ ㉠은 ㉡의 몇 배인지 구하세요.

㉡×〔   〕=㉠이므로 ㉠은 ㉡의 〔   〕배입니다.

(   )

03 어떤 수에 4.1을 곱해야 할 것을 잘못하여 나누었더니 15가 되었습니다. 바르게 계산하면 얼마인지 구하세요.

❶ 어떤 수를 구하세요.

어떤 수를 ■라 하여 잘못 계산한 식을 쓰면 ■÷ ☐ = ☐ 이므로

■= ☐ × ☐ = ☐ 입니다.

(   )

❷ 바르게 계산하면 얼마인지 구하세요.

(   )

4 소수의 곱셈

04 30초에 0.23 L의 물이 나오는 가 수도꼭지와 1분에 0.58 L의 물이 나오는 나 수도꼭지가 있습니다. 가와 나 두 수도꼭지를 동시에 틀어 4분 동안 물을 받을 때 받는 물은 모두 몇 L인지 구하세요.

❶ 가 수도꼭지에서 1분 동안 나오는 물은 몇 L일까요?

가 수도꼭지에서 30초에 0.23 L의 물이 나오므로 1분 동안 나오는 물은

☐ × ☐ = ☐ (L)입니다.

(   )

❷ 가와 나 두 수도꼭지를 동시에 틀어 1분 동안 물을 받을 때 받는 물은 몇 L일까요?

☐ +0.58= ☐ (L)

(   )

❸ 가와 나 두 수도꼭지를 동시에 틀어 4분 동안 물을 받을 때 받는 물은 모두 몇 L일까요?

(   )

01 어머니는 10000원으로 아몬드를 사려고 합니다. 사려는 아몬드는 700 g으로 1 g당 가격은 16.8원입니다. 어머니가 가진 돈으로 아몬드를 살 수 있는지 풀이 과정을 쓰고 답을 구하세요.

아몬드 700 g
(1 g당: 16.8원)

🔍 **어떻게 풀까요?**

• 아몬드 1 g당 가격을 16.8원에 가까우면서 계산하기 쉬운 자연수로 바꾸어 사려는 아몬드의 어림한 가격을 알아봅니다.

풀이

답 _____

02 685×3=2055를 이용하여 ㉠은 ㉡의 몇 배인지 풀이 과정을 쓰고 답을 구하세요.

• 68.5 × ㉠ = 20.55

• 6.85 × ㉡ = 0.2055

🔍 **어떻게 풀까요?**

• 소수끼리의 곱의 소수점 아래 자리 수는 곱하는 두 소수의 소수점 아래 자리 수의 합과 같음을 이용하여 ㉠과 ㉡에 알맞은 수를 알아봅니다.

풀이

답 _____

03 소리는 1초 동안 공기 중에서 0.34 km를 간다고 합니다. 번개를 보고 나서 5.6초 후에 천둥 소리를 들었다면 소리를 들은 곳은 번개 친 곳에서 몇 km 떨어져 있는지 풀이 과정을 쓰고 답을 구하세요.

(풀이)

(답) _____

어떻게 풀까요?
• 소리가 5.6초 동안 간 거리를 알아봅니다.

04 어떤 수에 1.4를 곱해야 할 것을 잘못하여 나누었더니 6이 되었습니다. 바르게 계산하면 얼마인지 풀이 과정을 쓰고 답을 구하세요.

(풀이)

(답) _____

어떻게 풀까요?
• 어떤 수를 먼저 구한 후 바르게 계산한 값을 구합니다.

05 30초에 0.35 L의 물이 나오는 가 수도꼭지와 1분에 0.15 L의 물이 나오는 나 수도꼭지가 있습니다. 가와 나 두 수도꼭지를 동시에 틀어 6분 동안 물을 받을 때 받는 물은 모두 몇 L인지 풀이 과정을 쓰고 답을 구하세요.

(풀이)

(답) _____

어떻게 풀까요?
• 가와 나 두 수도꼭지에서 1분 동안 받는 물의 양을 구한 후 6분 동안 받는 물의 양을 구합니다.

스피드 정답표 10쪽, 정답 및 풀이 37쪽

오답률 25%

01 직사각형의 넓이는 몇 cm²일까요? (   )

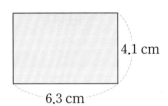

4.1 cm

6.3 cm

① 24.31 cm²   ② 24.83 cm²

③ 25.31 cm²   ④ 25.83 cm²

⑤ 26.31 cm²

오답률 32%

02 □ 안에 알맞은 수를 써넣으세요.

$$5.2 \times \boxed{} = 0.52$$

$$5.2 \times \boxed{} = 520$$

오답률 43%

03 보기를 이용하여 식을 완성하세요.

┤보기├
$$315 \times 23 = 7245$$

$$\boxed{} \times 2.3 = 72.45$$

오답률 52%

04 0.99×0.37을 어림하여 구한 값을 찾아 기호를 쓰세요.

㉠ 36.63   ㉡ 3.663   ㉢ 0.3663

(   )

오답률 53%

05 가장 큰 수와 가장 작은 수의 곱을 구하세요.

5.32   6.2   4.29   3.87

(   )

CONTENTS

5

직육면체

개념 ① 직사각형 6개로 둘러싸인 도형

● 직육면체: 직사각형 ❶ [　] 개로 둘러

　　싸인 도형

● 직육면체의 구성 요소

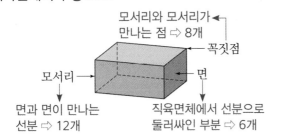

모서리와 모서리가 만나는 점 ⇨ 8개
꼭짓점

모서리 ← 면과 면이 만나는 선분 ⇨ 12개

면 ← 직육면체에서 선분으로 둘러싸인 부분 ⇨ 6개

개념 ② 정사각형 6개로 둘러싸인 도형

● 정육면체: ❷ [　　　] 6개로 둘러

　　싸인 도형

정육면체는 직육면체라고 할 수 있습니다.

● 정육면체의 구성 요소

면의 수(개)	모서리의 수(개)	꼭짓점의 수(개)
6	12	❸ [　]

● 직육면체와 정육면체의 같은 점과 다른 점

같은 점	면, 모서리, 꼭짓점의 수가 각각 같습니다.
다른 점	• 면의 모양이 직육면체는 직사각형이고, 정육면체는 정사각형입니다. • 직육면체는 모서리의 길이가 다르지만 정육면체는 모서리의 길이가 모두 같습니다.

개념 ③ 직육면체의 성질

● 직육면체의 밑면: 직육면체에서 계속 늘여도 만나지 않는 두 면

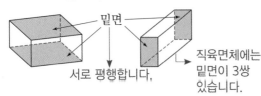

서로 평행합니다.

직육면체에는 밑면이 3쌍 있습니다.

● 직육면체의 옆면: 직육면체에서 밑면과 수직인 면

● 삼각자 3개를 그림과 같이 놓았을 때 면 ㄱㄴㄷㄹ과

면 ㄷㅅㅇㄹ은 ❹ [　　] 입니다.

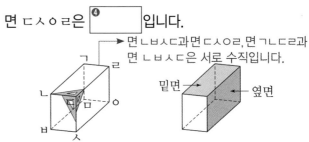

→ 면 ㄴㅂㅅㄷ과 면 ㄷㅅㅇㄹ, 면 ㄱㄴㄷㄹ과 면 ㄴㅂㅅㄷ은 서로 수직입니다.

밑면 → ← 옆면

개념 ④ 직육면체의 겨냥도

● 직육면체의 겨냥도: 직육면체 모양을 잘 알 수 있도록 나타낸 그림

→ 겨냥도에서는 보이는 모서리는 실선으로, 보이지 않는 모서리는 점선으로 그립니다.

개념 ⑤ 정육면체의 전개도

● 정육면체의 전개도: 정육면체의 ❺ [　　　] 를 잘라서 펼친 그림

→ 정육면체의 전개도에서 잘린 모서리는 실선으로, 잘리지 않는 모서리는 점선으로 표시합니다.

개념 ⑥ 직육면체의 전개도

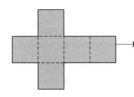

2 cm 3 cm
4 cm

⇨

→ 모양과 크기가 같은 면이 3쌍 있습니다.

직육면체의 전개도는 접었을 때 겹치는 면이 없고 만나는 모서리의 길이가 같습니다.

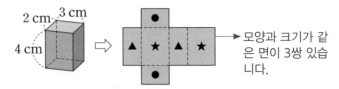

| 정답 | ❶ 6　❷ 직사각형　❸ 8　❹ 수직　❺ 모서리

[01~02] 그림을 보고 □ 안에 알맞게 써넣으세요.

01 직사각형 □개로 둘러싸인

도형을 [   ](이)라

고 합니다.

02 정사각형 □개로 둘러싸인

도형을 [   ](이)라고

합니다.

03 정육면체의 각 부분의 이름을 □ 안에 알맞게
써넣으세요.

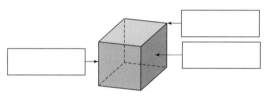

[04~05] 그림을 보고 물음에 답하세요.

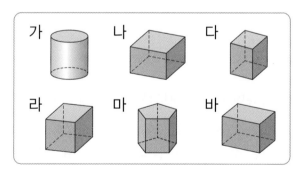

04 직육면체를 모두 찾아 기호를 써 보세요.

(   )

05 정육면체를 찾아 기호를 써 보세요.

(   )

[06~07] 직육면체에서 색칠한 면과 평행한 면을 찾
아 빗금을 그어 보세요.

06 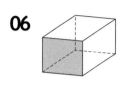   **07**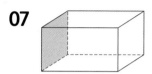

08 직육면체에서 서로 평행한 면은 모두 몇 쌍일
까요?

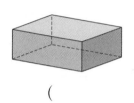

(   )

[09~10] 직육면체를 보고 물음에 답하세요.

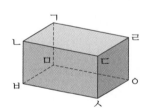

09 꼭짓점 ㄷ과 만나는 면을 모두 써 보세요.

(   )

10 알맞은 말에 ○표 하세요.

꼭짓점 ㄷ과 만나는 면들에 삼각자를
대어 보면 꼭짓점 ㄷ을 중심으로 모두
(수직 , 평행)입니다.

01 알맞은 말에 ○표 하세요.

> 직육면체의 겨냥도는 직육면체 모양을 잘 알 수 있도록 보이는 모서리는 (실선 , 점선)으로, 보이지 않는 모서리는 (실선 , 점선)으로 그린 그림입니다.

02 ☐ 안에 알맞은 말을 써넣으세요.

> 정육면체의 모서리를 잘라서 펼친 그림을 정육면체의 [   ](이)라고 합니다.

03 직육면체의 겨냥도를 바르게 그린 것을 찾아 기호를 써 보세요.

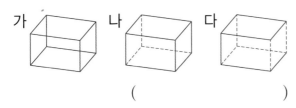

가　　　　나　　　　다

(　　　　　　　　)

[04~05] 그림에서 빠진 부분을 그려 넣어 직육면체의 겨냥도를 완성해 보세요.

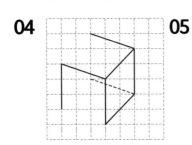

04　　　　　　**05**

[06~07] 전개도를 접어서 정육면체를 만들었을 때 색칠한 면과 평행한 면에 빗금을 그어 보세요.

06

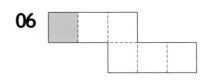

07

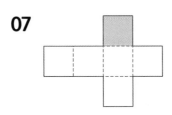

[08~09] 전개도를 접어서 정육면체를 만들었을 때 색칠한 면과 수직인 면에 모두 빗금을 그어 보세요.

08

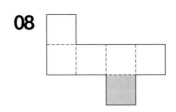

09

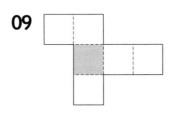

10 직육면체의 전개도를 정확하게 그렸는지 확인하는 방법을 알아보려고 합니다. ☐ 안에 알맞은 수를 써넣고 알맞은 말에 ○표 하세요.

> 바르게 그린 직육면체 전개도에는 모양과 크기가 같은 면이 [   ]쌍 있습니다.
> 또한 접었을 때 겹치는 면이 (있고 , 없고) 만나는 모서리의 길이가 (같습니다 , 다릅니다).

스피드 정답표 11쪽, 정답 및 풀이 38쪽

01 직육면체를 찾아 기호를 써 보세요.

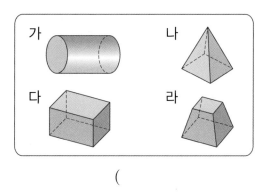

( )

02 직육면체의 각 부분의 이름을 ☐ 안에 알맞게 써넣으세요.

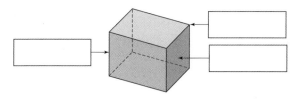

03 오른쪽 그림과 같이 정사각형 6개로 둘러싸인 도형을 무엇이라고 할까요?

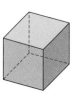

( )

04 오른쪽 직육면체에서 색칠한 면과 평행한 면을 바르게 색칠한 것을 찾아 기호를 써 보세요.

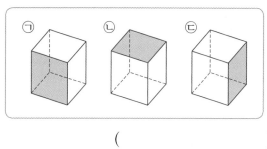

( )

05 그림에서 빠진 부분을 그려 넣어 직육면체의 겨냥도를 완성해 보세요.

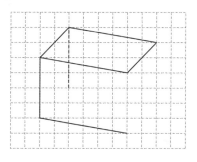

[06~07] 그림을 보고 ☐ 안에 알맞은 수나 말을 써넣으세요.

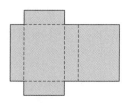

06 직육면체의 모서리를 잘라서 펼친 그림을 직육면체의 ☐ 라고 합니다.

07 모양과 크기가 같은 면은 모두 ☐쌍입니다.

08 직육면체를 보고 면, 모서리, 꼭짓점의 수를 각각 세어 보세요.

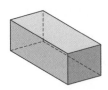

면의 수(개)	모서리의 수(개)	꼭짓점의 수(개)

09 직육면체의 겨냥도를 바르게 그린 것은 어느 것일까요? ⋯⋯⋯⋯⋯⋯⋯⋯ (   )

①   ②   ③

④   ⑤

10 지혜는 다음과 같은 정육면체 모양의 상자를 포장하였습니다. □ 안에 알맞은 수를 써넣으세요.

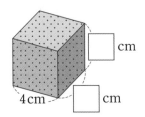

11 직육면체에서 색칠한 면과 평행한 면을 찾아 써 보세요.

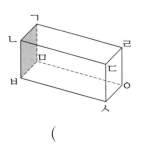

(   )

12 오른쪽 정육면체에서 서로 평행한 면은 모두 몇 쌍일까요?

(   )

[13~14] 전개도를 접어서 정육면체를 만들었습니다. 물음에 답하세요.

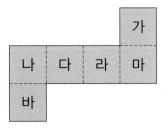

13 면 가와 마주 보는 면을 찾아 써 보세요.

(   )

14 면 가와 수직인 면을 모두 찾아 써 보세요.

(   )

15 다음 정육면체에서 보이지 않는 모서리는 몇 개일까요?

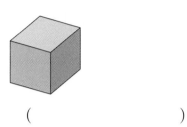

(   )

16 정육면체 모양의 상자에서 희수가 파란색을 칠해야 하는 면은 모두 몇 개일까요?

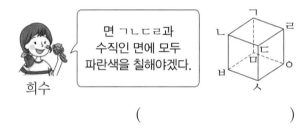

면 ㄱㄴㄷㄹ과 수직인 면에 모두 파란색을 칠해야겠다.

희수

(   )

17 직육면체의 겨냥도에서 개수가 더 많은 것의 기호를 써 보세요.

> ㉠ 보이는 면의 수
> ㉡ 보이는 모서리의 수

(   )

[18~19] 아래 전개도를 접어서 직육면체를 만들었습니다. 물음에 답하세요.

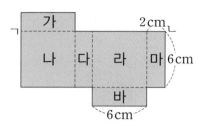

18 면 나와 평행한 면을 써 보세요.

(   )

19 전개도에서 선분 ㄱㄴ은 몇 cm일까요?

(   )

20 정육면체의 모서리를 잘라서 정육면체의 전개도를 만들었습니다. □ 안에 알맞은 기호를 써넣으세요.

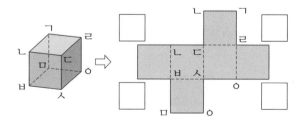

스피드 정답표 11쪽, 정답 및 풀이 39쪽

01 그림을 보고 □ 안에 알맞은 수나 말을 써넣 으세요.

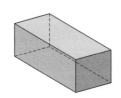

직사각형 □ 개로 둘러싸인 도형을

□ (이)라고 합니다.

02 | 보기 | 에서 알맞은 말을 찾아 □ 안에 써넣으 세요.

┤ 보기 ├

점선   실선

직육면체 모양을 잘 알 수 있도록 보이는 모서리는 □ 으로, 보이지 않는 모서 리는 □ 으로 그린 그림을 직육면체 의 겨냥도라고 합니다.

03 직육면체에 △표, 정육면체에 ○표 하세요.

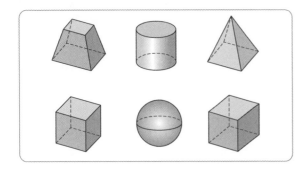

04 정육면체의 면은 어떤 모양일까요?

(   )

05 직육면체의 겨냥도를 바르게 그린 것을 찾아 ○표 하세요.

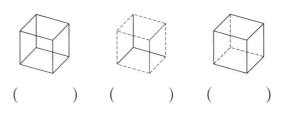

(   )   (   )   (   )

06 직육면체에서 보이는 면, 모서리, 꼭짓점의 수를 써넣으세요.

면의 수(개)	모서리의 수(개)	꼭짓점의 수(개)

07 직육면체에서 □ 안에 알맞은 수를 써넣으 세요.

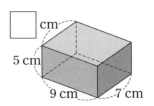

□ cm
5 cm
9 cm   7 cm

08 정육면체의 전개도가 <u>아닌</u> 것에 × 표 하세요.

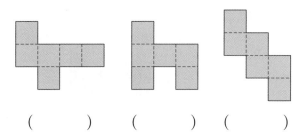

(   )   (   )   (   )

09 직육면체 모양의 상자를 보고 겨냥도를 그려 보세요.

⇩

10 직육면체에서 색칠한 면과 평행한 면을 찾아 빗금으로 그어 보세요.

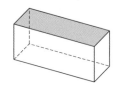

[11~13] 정육면체를 보고 물음에 답하세요.

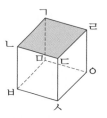

11 색칠한 면과 평행한 면을 찾아 써 보세요.

(   )

12 점 ㅁ과 만나는 면을 모두 찾아 써 보세요.

(   )

13 색칠한 면과 수직인 면은 모두 몇 개일까요?

(   )

14 오른쪽 직육면체를 보고 전개도를 완성해 보세요.

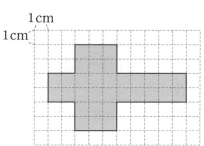

[15~16] 직육면체를 보고 물음에 답하세요.

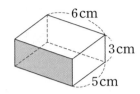

15 직육면체에서 모양과 크기가 같은 면은 몇 쌍일까요?

(　　　　　)

16 색칠한 면과 평행한 면을 모눈종이에 그려 보세요.

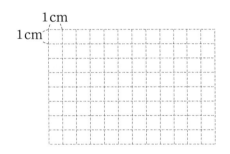

17 다음 중 <u>잘못된</u> 설명은 어느 것일까요?
·································(　　)

① 정육면체에서 면의 크기는 모두 같습니다.
② 직육면체의 모든 면의 모양은 직사각형입니다.
③ 직육면체와 정육면체는 꼭짓점의 수가 같습니다.
④ 정육면체는 직육면체라고 말할 수 있습니다.
⑤ 직육면체는 정육면체라고 말할 수 있습니다.

18 정육면체의 모든 모서리의 길이의 합은 몇 cm일까요?

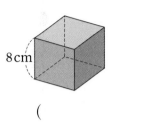

(　　　　　)

[19~20] 직육면체의 모서리를 잘라서 직육면체의 전개도를 만들었습니다. 물음에 답하세요.

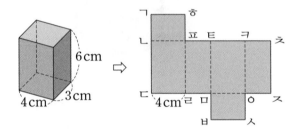

19 전개도를 접었을 때 다음 면과 평행한 면을 찾아 써 보세요.

면 ㄱㄴㅍㅎ	면 ㄴㄷㄹㅍ	면 ㅍㄹㅁㅌ

20 전개도에서 면 ㅌㅁㅇㅋ의 네 변의 길이의 합은 몇 cm일까요?

(　　　　　)

스피드 정답표 11쪽, 정답 및 풀이 39쪽

01 다음 중 직육면체를 모두 고르세요.
··· (   )

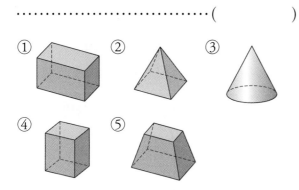

02 정육면체의 겨냥도를 바르게 그린 것을 찾아 기호를 써 보세요.

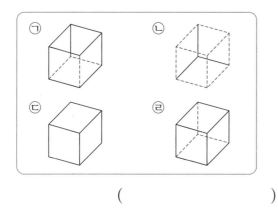

(   )

03 직육면체에서 □ 안에 알맞은 수를 써넣으세요.

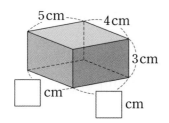

04 바르게 말한 사람의 이름을 써 보세요.

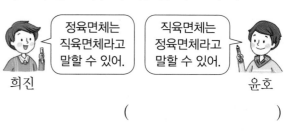

정육면체는 직육면체라고 말할 수 있어.   희진

직육면체는 정육면체라고 말할 수 있어.   윤호

(   )

05 직육면체에서 보이지 않는 모서리를 점선으로 그려 넣으세요.

06 오른쪽 직육면체에서 색칠한 면과 수직인 면을 색칠한 것이 <u>아닌</u> 것을 찾아 기호를 써 보세요.

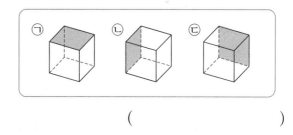

(   )

07 다음 중 직육면체의 모서리 ㄱㅁ과 길이가 같은 모서리는 어느 것일까요?······ (   )

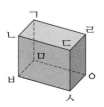

① 모서리 ㄹㄷ   ② 모서리 ㄴㄷ

③ 모서리 ㄷㅅ   ④ 모서리 ㅂㅅ

⑤ 모서리 ㅇㅅ

08 오른쪽 직육면체에서 색칠한 면과 수직인 면을 모두 찾아 써 보세요.

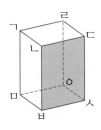

_____

_____

09 오른쪽 정육면체의 전개도를 그려 보세요.

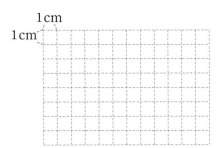

10 직육면체에서 서로 평행한 면을 찾아 써 보세요.

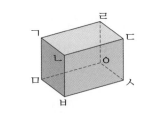

면 ㄱㄴㄷㄹ ⇨ (　　　　　　)

면 ㄹㅇㅅㄷ ⇨ (　　　　　　)

면 ㄴㅂㅅㄷ ⇨ (　　　　　　)

11 다음 도형의 이름과 보이지 않는 꼭짓점의 수가 바르게 짝 지어진 것은 어느 것일까요?
.... (　　)

① 정육면체, 7　　② 직육면체, 7

③ 정육면체, 9　　④ 직육면체, 3

⑤ 정육면체, 1

[12~14] 전개도를 접어서 직육면체를 만들었습니다. 물음에 답하세요.

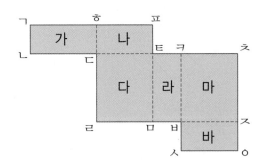

12 면 가와 평행한 면을 찾아 써 보세요.

(　　　　　　)

13 선분 ㄴㄷ과 겹쳐지는 선분을 찾아 써 보세요.

(　　　　　　)

14 면 다와 수직인 면을 모두 찾아 써 보세요.

(　　　　　　)

15 정육면체에 대하여 바르게 말한 사람을 찾아 이름을 써 보세요.

(   )

16 전개도를 접어서 정육면체를 만들었을 때 면 다와 만나지 <u>않는</u> 면을 찾아 써 보세요.

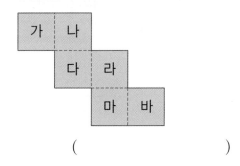

(   )

17 면 ㉮와 평행한 면의 모서리의 길이의 합은 몇 cm일까요?

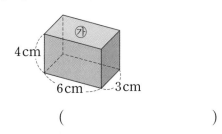

(   )

18 잘못 그려진 정육면체의 전개도입니다. 면 1개를 옮겨 올바른 전개도를 그려 보세요.

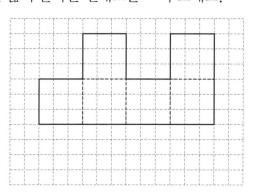

19 주사위에서 서로 평행한 두 면의 눈의 수의 합이 7입니다. 전개도의 빈 곳에 주사위의 눈을 알맞게 그려 넣으세요.

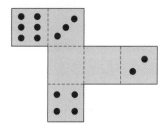

서술형

20 모든 모서리 길이의 합이 60 cm인 정육면체가 있습니다. 이 정육면체의 한 모서리의 길이는 몇 cm인지 풀이 과정을 쓰고 답을 구하세요.

답 ＿＿＿＿＿＿＿＿＿＿

스피드 정답표 12쪽, 정답 및 풀이 40쪽

01 정육면체에서 색칠한 면은 어떤 도형인지 써 보세요.

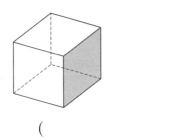

( )

02 직육면체에서 색칠한 면 ㉮와 면 ㉯가 만나서 이루는 각의 크기는 몇 도일까요?

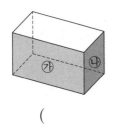

( )

03 빈칸에 알맞은 수를 써넣으세요.

도형	면의 수(개)	모서리의 수(개)	꼭짓점의 수(개)
직육면체			
정육면체			

04 직육면체의 전개도를 그린 것입니다. □ 안에 알맞은 수를 써넣으세요.

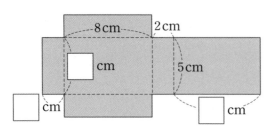

05 다음 중 바르게 설명한 것은 어느 것일까요?
.................................( )

① 직육면체는 서로 평행한 면이 2쌍입니다.
② 직육면체의 면은 6개이고 면의 크기가 모두 같습니다.
③ 정육면체의 겨냥도에서 보이는 모서리는 모두 12개입니다.
④ 정육면체는 직육면체라고 말할 수 있습니다.
⑤ 직육면체는 정육면체라고 말할 수 있습니다.

06 정육면체의 전개도입니다. 빠진 부분을 완성해 보세요.

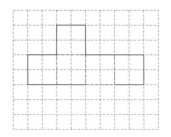

07 직육면체의 겨냥도에서 보이지 않는 꼭짓점을 찾아 써 보세요.

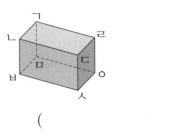

( )

08 전개도를 접어서 정육면체를 만들었을 때 색칠한 면과 수직인 면을 모두 찾아 빗금을 그어 보세요.

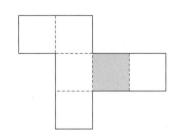

09 정육면체에서 한 면과 수직인 면은 모두 몇 개일까요?

(   )

10 직육면체의 전개도를 그린 것입니다. ㉠과 ㉡에 알맞은 수를 각각 구하세요.

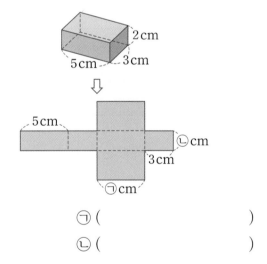

㉠ (   )

㉡ (   )

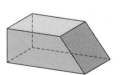

11 오른쪽 도형이 직육면체가 아닌 이유를 써 보세요.

이유 _____

_____

12 다음 직육면체에서 색칠한 면 ㉮의 모서리의 길이의 합은 몇 cm일까요?

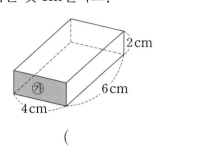

(   )

13 전개도를 접어서 직육면체를 만들었을 때 색칠한 면과 만나지 않는 면을 찾아 써 보세요.

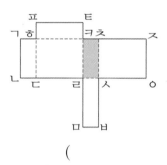

(   )

14 보기와 같이 무늬(●) 3개가 그려져 있는 정육면체를 만들 수 있도록 전개도에 무늬(●) 1개를 그려 넣으세요.

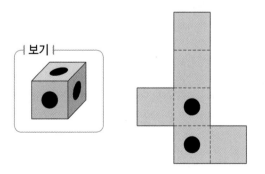

15 한 모서리의 길이가 5 cm인 정육면체 모양의 주사위가 있습니다. 이 주사위의 모든 모서리의 길이의 합은 몇 cm일까요?

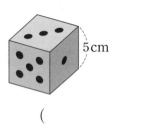

5 cm

( )

16 전개도를 접어서 정육면체를 만들었을 때 면 나와 면 라에 공통으로 수직인 면을 모두 써 보세요.

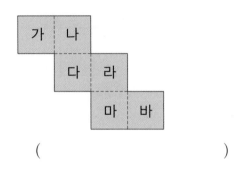

가	나		
	다	라	
		마	바

( )

17 직육면체와 정육면체의 다른 점을 모두 찾아 기호를 써 보세요.

> ㉠ 면의 수   ㉡ 꼭짓점의 수
> ㉢ 면의 모양   ㉣ 모서리의 길이

( )

18 직육면체에서 보이는 모서리의 길이의 합은 몇 cm일까요?

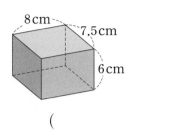

8 cm
7.5 cm
6 cm

( )

19 진우가 만든 직육면체 모양의 선물 상자에 오른쪽 그림과 같이 색 테이프를 한 바퀴 돌려서 붙였습니다. 직육면체의 전개도가 다음과 같을 때 색 테이프가 지나간 자리를 바르게 그려 넣으세요.

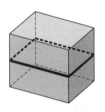

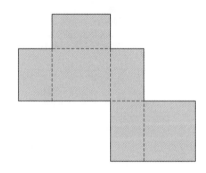

20 직육면체에서 서로 수직인 면은 모두 몇 쌍일까요?

( )

스피드 정답표 12쪽, 정답 및 풀이 41쪽

01 직육면체는 모두 몇 개일까요?

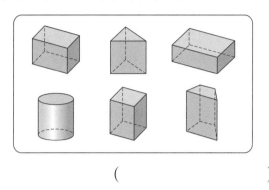

(   )

02 정육면체에서 색칠한 면 ㉮의 모양을 모눈종이에 그려 보세요.

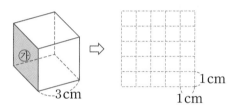

03 직육면체의 겨냥도에 빠진 부분이 있습니다. 빠진 부분을 그려 넣어 겨냥도를 완성해 보세요.

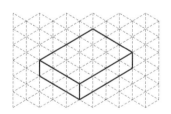

04 전개도를 접어서 직육면체를 만들었습니다. □ 안에 알맞게 써넣으세요.

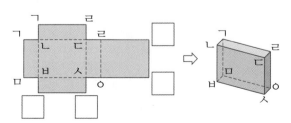

05 정육면체의 전개도가 <u>아닌</u> 것은 어느 것일까요?·······························( )

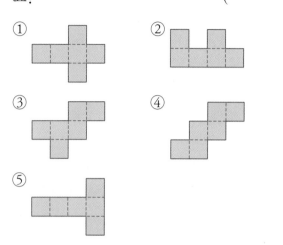

① ② ③ ④ ⑤

서술형

06 직육면체의 겨냥도를 <u>잘못</u> 설명한 것을 찾아 기호를 쓰고 바르게 고쳐 보세요.

> ㉠ 보이는 면은 3개입니다.
> ㉡ 보이지 않는 모서리는 9개입니다.
> ㉢ 보이지 않는 꼭짓점은 1개입니다.

잘못 설명한 것 _____

바르게 고치기 _____

_____

07 영은이가 직육면체 모양의 상자에 붙일 색종이는 적어도 몇 가지 색깔일까요?

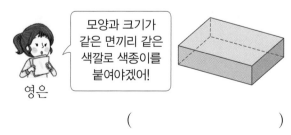

모양과 크기가 같은 면끼리 같은 색깔로 색종이를 붙여야겠어!

영은

(   )

08 오른쪽 직육면체에서 보이는
모서리는 보이지 않는 모서리
보다 몇 개 더 많을까요?

(   )

09 정육면체의 모든 모서리 길이의 합은 132 cm
입니다. □ 안에 알맞은 수를 써넣으세요.

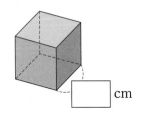
cm

10 오른쪽 직육면체의 겨냥
도를 보고 전개도를 그려
보세요.

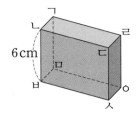
3 cm
2 cm
4 cm

1 cm
1 cm

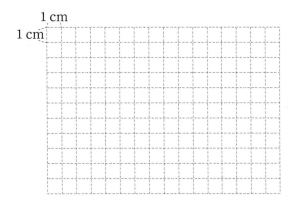

11 직육면체의 면에 대하여 잘못 설명한 것을 찾
아 기호를 써 보세요.

㉠ 서로 평행한 두 면은 모두 3쌍입니다.
㉡ 서로 마주 보는 면은 평행합니다.
㉢ 한 면과 수직으로 만나는 면은 2개입
니다.
㉣ 한 꼭짓점에서 만나는 면은 모두 3개
입니다.

(   )

[12~13] 직육면체는 모서리 ㄱㄴ의 길이가 2 cm이
고 면 ㄱㄴㄷㄹ의 모서리 길이의 합이 22 cm입니다.
물음에 답하세요.

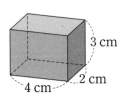
ㄱ
ㄴ   ㄹ
6 cm   ㄷ
ㅁ
ㅂ   ㅇ
ㅅ

12 모서리 ㄴㄷ의 길이는 몇 cm일까요?

(   )

13 직육면체의 모든 모서리 길이의 합은 몇 cm
일까요?

(   )

14 전개도를 접어서 정육면체를 만들었을 때, 마
주 보는 두 면의 수의 합이 7이 되도록 전개
도의 빈 곳에 알맞은 수를 써넣으세요.

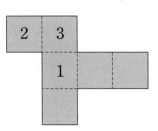
2   3
1

15 오른쪽 직육면체에서 보이지 않는 모서리 길이의 합이 20 cm일 때 모든 모서리 길이의 합은 몇 cm일까요?

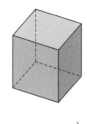

(   )

16 정육면체의 전개도에서 면 가의 네 변의 길이의 합은 44 cm입니다. 이 전개도를 접어서 만든 정육면체의 한 모서리의 길이는 몇 cm일까요?

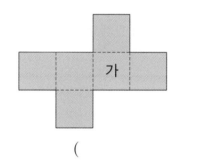

(   )

17 직육면체의 모든 모서리 길이의 합이 84 cm일 때, ㉠은 몇 cm일까요?

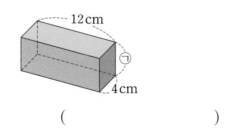

(   )

18 전개도를 접어서 만들 수 있는 정육면체를 찾아 기호를 써 보세요.

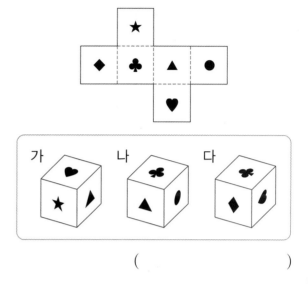

(   )

서술형

19 주사위의 마주 보는 면의 눈의 수의 합은 7입니다. 2의 눈이 그려진 면과 수직인 면들의 눈의 수의 합은 얼마인지 풀이 과정을 쓰고 답을 구하세요.

풀이

답 _____

20 그림과 같이 직육면체의 면에 선을 그었습니다. 이 직육면체의 전개도가 다음과 같을 때 전개도에 나타나는 선을 바르게 그려 넣으세요.

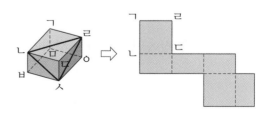

스피드 정답표 13쪽, 정답 및 풀이 42쪽

01 다음은 직육면체의 전개도가 될 수 없습니다. 그 이유를 써 보세요.

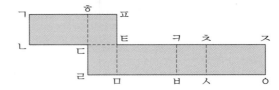

❶ 직육면체의 전개도를 정확하게 그렸는지 확인하는 방법을 알아보세요.

바르게 그린 직육면체의 전개도에는 모양과 크기가 같은 면이 ☐ 쌍 있습니다.

또한 접었을 때 겹치는 면이 (있고 , 없고) 만나는 모서리의 길이가 (같습니다 , 다릅니다).

❷ 위의 전개도를 접어서 직육면체를 만들었을 때 선분 ㄴㄷ과 겹쳐지는 선분을 찾아 써 보세요.

( )

❸ 위의 전개도가 직육면체의 전개도가 될 수 <u>없는</u> 이유를 써 보세요.

_____

_____

02 오른쪽 정육면체의 겨냥도에서 보이지 않는 모서리 길이의 합이 36 cm일 때 한 모서리의 길이는 몇 cm인지 구하세요.

❶ 정육면체의 겨냥도에서 보이지 않는 모서리는 몇 개일까요?

정육면체의 겨냥도에서 보이지 않는 모서리는 (실선 , 점선)으로 그리므로 ☐ 개입니다.

( )

❷ 정육면체의 성질을 알아보세요.

정육면체는 모든 모서리의 길이가 (같습니다 , 다릅니다).

❸ 정육면체의 한 모서리의 길이는 몇 cm일까요?

( )

03 오른쪽 전개도를 접어서 직육면체를 만들었을 때 만든 직육면체의 모든 모서리 길이의 합은 몇 cm인지 구하세요.

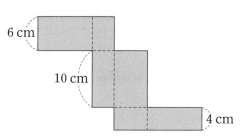

❶ 직육면체의 성질을 알아보세요.

직육면체는 길이가 같은 모서리가 ☐ 개씩 ☐ 쌍 있습니다.

❷ 전개도를 접어서 만든 직육면체입니다. ☐ 안에 알맞은 수를 써넣으세요.

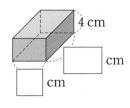

❸ 직육면체를 만들었을 때 만든 직육면체의 모든 모서리 길이의 합은 몇 cm일까요?

( )

04 오른쪽 직육면체와 모든 모서리 길이의 합이 같은 정육면체를 만들려고 합니다. 정육면체의 한 모서리의 길이는 몇 cm로 하면 되는지 구하세요.

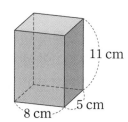

❶ 정육면체의 모서리는 모두 몇 개일까요?

( )

❷ 만들 정육면체의 모든 모서리 길이의 합은 몇 cm일까요?

( )

❸ 정육면체의 한 모서리의 길이는 몇 cm로 하면 되는지 구하세요.

☐ ÷ ☐ = ☐ (cm)

( )

01 다음은 직육면체의 전개도가 될 수 없습니다. 그 이유를 써 보세요.

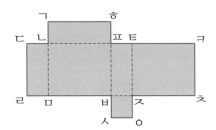

이유

🔍 어떻게 풀까요?

• 직육면체의 전개도를 접었을 때 만나는 모서리의 길이가 같은지, 평행한 면의 모양과 크기가 같은지 알아봅니다.

02 오른쪽 정육면체의 겨냥도에서 보이지 않는 모서리 길이의 합이 48 cm일 때 한 모서리의 길이는 몇 cm 인지 풀이 과정을 쓰고 답을 구하세요.

풀이

🔍 어떻게 풀까요?

• 정육면체의 겨냥도에서 보이지 않는 모서리는 점선으로 그립니다.

답 _____

03 전개도를 접어서 직육면체를 만들었을 때 만든 직육면체의 모든 모서리 길이의 합은 몇 cm인지 풀이 과정을 쓰고 답을 구하세요.

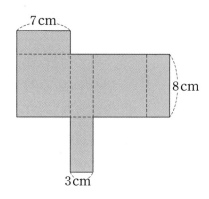

🔍 어떻게 풀까요?

• 만들어진 직육면체의 모양을 알아보고 직육면체는 길이가 같은 모서리가 4개씩 3쌍 있음을 이용하여 모든 모서리 길이의 합을 구합니다.

풀이

답 _____

⑤
직육면체

04 혜은이가 만들 정육면체의 한 모서리의 길이는 몇 cm인지 풀이 과정을 쓰고 답을 구하세요.

 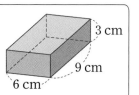

나는 오른쪽 직육면체와 모든 모서리 길이의 합이 같은 정육면체를 만들 거야.

혜은

🔍 어떻게 풀까요?

• 먼저 직육면체의 모든 모서리 길이의 합을 구한 후 정육면체의 모서리의 수로 나누어 한 모서리의 길이를 구합니다.

풀이

답 _____

오답률 11%

01 직육면체에서 색칠한 면과 수직인 면이 <u>아닌</u> 것은 어느 것일까요?·················( )

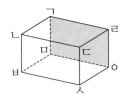

① 면 ㄱㄴㄷㄹ   ② 면 ㅁㅂㅅㅇ
③ 면 ㄴㅂㅅㄷ   ④ 면 ㄴㅂㅁㄱ
⑤ 면 ㄷㅅㅇㄹ

오답률 15%

02 직육면체에 대한 설명으로 옳은 것을 찾아 기호를 쓰세요.

> ㉠ 꼭짓점이 6개입니다.
> ㉡ 모서리의 길이가 모두 같습니다.
> ㉢ 정육면체와 면의 수가 같습니다.

( )

오답률 15%

03 정육면체의 전개도가 <u>아닌</u> 것을 찾아 기호를 쓰세요.

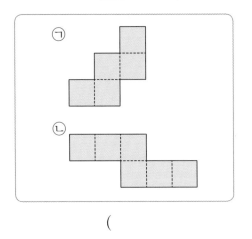

( )

오답률 24%

04 다음 설명을 보고 <u>틀린</u> 것을 찾아 기호를 쓰세요.

> ㉠ 직육면체의 한 모서리에서 만나는 두 면은 서로 수직입니다.
> ㉡ 정육면체는 정사각형 8개로 둘러싸여 있습니다.
> ㉢ 직육면체는 정육면체라고 할 수 없습니다.

( )

오답률 57%

05 다음 직육면체를 보고 보이는 모서리의 길이의 합을 구하세요.

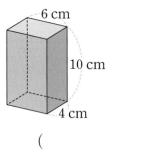

( )

CONTENTS

6

평균과 가능성

개념① 평균 알아보기

학급별 학생 수

학급(반)	1	2	3	4
학생 수(명)	25	26	24	25

● 평균: 학급별 학생 수 25, 26, 24, 25를 모두 더해 자료의 수 4로 나눈 수 25와 같이 학급별 학생 수를 대표하는 값

개념② 평균 구하기(1)

● 학생별 쌓은 블록 수의 평균 구하기

쌓은 블록 수

이름	선아	흥민	현서	연주
블록 수(개)	7	5	10	6

방법 1 학생들이 쌓은 블록 수를 고르게 하면 7개씩 되므로 쌓은 블록 수의 평균은 $\boxed{❶}$ 개입니다.

방법 2 $(7+5+10+6) \div 4$
$= 28 \div 4 = 7$(개)

> (평균)＝(자료의 값을 모두 더한 수)÷(자료의 수)

개념③ 평균 구하기(2)

● 과녁 맞히기 선수 점수의 평균 구하기

과녁 맞히기 선수의 점수

회	1회	2회	3회	4회	5회
점수(점)	0	3	4	2	1

방법 1 평균을 2점으로 예상한 후 (0, 4), (3, 1), 2로 수를 짝 지어 자료의 값을 고르게 하면 점수의 평균은 2점입니다.

방법 2 $(0+3+4+2+1) \div 5 = 10 \div 5 = \boxed{❷}$(점)

개념④ 평균 이용하기

● 평균 비교하기

모둠 친구 수와 도서 대출 책 수

모둠	모둠 1	모둠 2
모둠 친구 수(명)	5	4
도서 대출 책 수(권)	25	24

모둠 1의 도서 대출 책 수의 평균: $25 \div 5 = 5$(권)

모둠 2의 도서 대출 책 수의 평균: $24 \div 4 = \boxed{❸}$(권)

➡ 모둠별 1인당 도서 대출 책 수는 모둠 $\boxed{❹}$ 가 더 많습니다.

● 평균을 이용하여 자료의 값 구하기
(평균)＝(자료의 값을 모두 더한 수)÷(자료의 수)
➡ (자료의 값을 모두 더한 수)＝(평균)×(자료의 수)

개념⑤ 일이 일어날 가능성을 말로 표현하기

● 가능성: 어떠한 상황에서 특정한 일이 일어날 기대할 수 있는 정도 ⟶ 가능성의 정도는 불가능하다, ~아닐 것 같다, 반반이다, ~일 것 같다, 확실하다 등으로 표현할 수 있습니다.

개념⑥ 일이 일어날 가능성 비교하기

● 일이 일어날 가능성의 위치 나타내기

← 일이 일어날 가능성이 낮습니다.		일이 일어날 가능성이 높습니다. →
~아닐 것 같다		~일 것 같다
불가능하다	반반이다	확실하다

개념⑦ 일이 일어날 가능성을 수로 표현하기

불가능하다   반반이다   확실하다

0       $\boxed{❺}$ 1

| 정답 | ❶ 7   ❷ 2   ❸ 6   ❹ 2   ❺ $\dfrac{1}{2}$

[01~05] 서현이네 모둠의 윗몸 말아 올리기 기록을 나타낸 표입니다. 물음에 답하세요.

서현이네 모둠의 윗몸 말아 올리기 기록

이름	서현	민아	주용	혜진
윗몸 말아 올리기 기록(회)	9	4	11	8

01 서현이네 모둠의 윗몸 말아 올리기 기록을 모두 더하면 ☐ 회입니다.

02 서현이네 모둠은 ☐ 명입니다.

03 서현이네 모둠의 윗몸 말아 올리기 기록을 모두 더한 수를 모둠 친구 수로 나누면
☐ ÷ ☐ = ☐ 입니다.

04 ☐ 안에 알맞은 말을 써넣으세요.

> 위 **03**에서 구한 값과 같이 기록을 대표하는 값을 ☐ 이라고 합니다.

05 모둠의 한 친구당 윗몸 말아 올리기 기록을 정하는 올바른 방법에 ○표 하세요.

> 윗몸 말아 올리기 기록 중 가장 큰 수로 정합니다. ( )

> 윗몸 말아 올리기 기록 중 가장 작은 수로 정합니다. ( )

> 윗몸 말아 올리기 기록을 고르게 한 수로 정합니다. ( )

[06~07] 준호네 모둠이 3일 동안 공부한 시간을 나타낸 막대그래프입니다. ☐ 안에 알맞은 수를 써넣으세요.

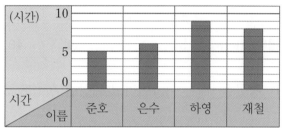

준호네 모둠이 공부한 시간

06 위 막대그래프에서 막대의 높이를 고르게 하면 막대의 높이는 ☐ 칸으로 고르게 됩니다.

07 준호네 모둠이 공부한 시간의 평균은 ☐ 시간입니다.

[08~10] ☐ 안에 알맞은 수를 써넣어 다음 수들의 평균을 구하세요.

08

| 8 | 6 | 4 | 7 | 5 |

$(8+6+4+7+\boxed{}) \div 5 = \boxed{} \div 5$
$= \boxed{}$

09

| 6 | 2 | 9 | 0 | 3 |

$(6+2+9+\boxed{}+3) \div \boxed{} = \boxed{} \div 5$
$= \boxed{}$

10

| 5 | 9 | 2 | 8 |

$(5+9+2+\boxed{}) \div \boxed{} = \boxed{} \div 4$
$= \boxed{}$

[01~02] 현주네 모둠의 몸무게를 나타낸 표입니다. 몸무게의 평균을 두 가지 방법으로 구하려고 합니다. ☐ 안에 알맞은 수를 써넣으세요.

현주네 모둠의 몸무게

이름	현주	지선	호은	민우
몸무게(kg)	36	38	38	40

01 평균을 ☐ kg이라고 예상한 후 (38, 38) (36, ☐)으로 수를 짝 지어 자료의 값을 고르게 하면 구한 몸무게의 평균은 ☐ kg입니다.

02 몸무게의 평균은

$(36+38+38+$ ☐ $)÷$ ☐

$=$ ☐ $÷4=$ ☐ (kg)입니다.

[03~05] 승민이와 영호의 시험 점수의 총점을 나타낸 표입니다. ☐ 안에 알맞은 수나 말을 써넣으세요.

시험 점수의 총점

이름	승민	영호
과목 수(과목)	4	5
총점(점)	352	435

03 승민이의 시험 점수의 평균은 ☐ 점입니다.

04 영호의 시험 점수의 평균은 ☐ 점입니다.

05 승민이와 영호 중 시험 점수의 평균이 더 높은 친구는 ☐ (이)입니다.

[06~08] 어느 과수원의 사과나무와 배나무에서 수확한 사과와 배의 무게를 나타낸 표입니다. ☐ 안에 알맞은 수나 말을 써넣으세요.

사과와 배의 수확량

나무	사과나무	배나무
나무 수(그루)	27	22
수확량(kg)	324	330

06 사과나무 한 그루당 수확량의 평균은 ☐ kg입니다.

07 배나무 한 그루당 수확량의 평균은 ☐ kg입니다.

08 사과나무와 배나무 중 한 그루당 수확량의 평균이 더 많은 나무는 ☐ 나무입니다.

[09~10] 지환이의 요일별 줄넘기 횟수를 나타낸 표입니다. 요일별 줄넘기 횟수의 평균이 400번일 때 물음에 답하세요.

요일별 줄넘기 횟수

요일	월	화	수	목	금
줄넘기 횟수(번)	350	300	500		400

09 5일 동안 한 줄넘기 횟수는 모두

$400×$ ☐ $=$ ☐ (번)입니다.

10 표의 빈칸에 알맞은 수를 써넣으세요.

▶ 일이 일어날 가능성을 말로 표현하기 ~ 일이 일어날 가능성 비교하기   스피드 정답표 13쪽, 정답 및 풀이 43쪽

01 ㉠과 ㉡에 알맞은 일이 일어날 가능성의 정도를 써 보세요.

← 일이 일어날 가능성이 낮습니다.	일이 일어날 가능성이 높습니다. →
~아닐 것 같다	~일 것 같다
㉠	반반이다	㉡

㉠ (   ), ㉡ (   )

[02~04] 일이 일어날 가능성을 알맞게 표현한 것에 ○표 하세요.

02
> 동전을 던지면 그림 면이 나올 것입니다.

불가능하다	반반이다	확실하다

03
> 내년 12월 달력에는 날짜가 31일까지 있을 것입니다.

불가능하다	반반이다	확실하다

04
> 1부터 6까지의 눈이 있는 주사위를 굴리면 주사위 눈의 수가 6보다 큰 수가 나올 것입니다.

불가능하다	반반이다	확실하다

05 빨간색 구슬 1개가 들어 있는 주머니에서 꺼낸 구슬이 노란색일 가능성을 말로 표현해 보세요.

(   )

[06~07] 친구들이 말하는 일이 일어날 가능성을 비교하려고 합니다. 물음에 답하세요.

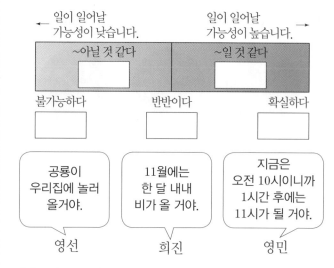

← 일이 일어날 가능성이 낮습니다.	일이 일어날 가능성이 높습니다. →
~아닐 것 같다	~일 것 같다
불가능하다	반반이다	확실하다

> 공룡이 우리집에 놀러 올거야.
> 영선

> 11월에는 한 달 내내 비가 올 거야.
> 희진

> 지금은 오전 10시이니까 1시간 후에는 11시가 될 거야.
> 영민

06 친구들이 말하는 일이 일어날 가능성을 판단하여 □ 안에 이름을 써넣으세요.

07 일이 일어날 가능성이 높은 순서대로 친구의 이름을 써 보세요.

(   )

[08~10] 세형, 건우, 민찬이는 검은색과 흰색을 사용하여 회전판을 각각 만들었습니다. 물음에 답하세요.

세형   건우   민찬

08 화살이 흰색에 멈추는 것이 불가능한 회전판을 만든 친구의 이름을 써 보세요.

(   )

09 화살이 검은색과 흰색에 멈출 가능성이 비슷한 회전판을 만든 친구의 이름을 써 보세요.

(   )

10 화살이 검은색에 멈출 가능성이 높은 회전판을 만든 친구부터 순서대로 이름을 써 보세요.

(   )

[01~05] 진호네 모둠이 회전판 돌리기를 하고 있습니다. 일이 일어날 가능성이 '불가능하다'이면 0, '반반이다'이면 $\frac{1}{2}$, '확실하다'이면 1로 표현해 보세요.

01 | 회전판 가를 돌릴 때 화살이 빨간색에 멈출 가능성 |

02 | 회전판 가를 돌릴 때 화살이 파란색에 멈출 가능성 |

03 | 회전판 나를 돌릴 때 화살이 빨간색에 멈출 가능성 |

04 | 회전판 나를 돌릴 때 화살이 노란색에 멈출 가능성 |

05 | 회전판 다를 돌릴 때 화살이 빨간새에 멈출 가능성 |

[06~08] 예빈이네 모둠이 회전판 돌리기를 하고 있습니다. 일이 일어날 가능성이 '불가능하다'이면 0, '반반이다'이면 $\frac{1}{2}$, '확실하다'이면 1로 표현할 때 가능성을 ↓로 나타내어 보세요.

06 회전판 가를 돌릴 때 화살이 노란색에 멈출 가능성

07 회전판 나를 돌릴 때 화살이 파란색에 멈출 가능성

08 회전판 다를 돌릴 때 화살이 파란색에 멈출 가능성

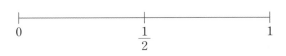

[09~10] 당첨 제비만 3개 들어 있는 제비 뽑기 상자에서 제비 1개를 뽑았습니다. 물음에 답하세요.

09 뽑은 제비가 당첨 제비일 가능성을 말로 표현해 보세요.

(　　　　　)

10 뽑은 제비가 당첨 제비가 아닐 가능성을 0부터 1까지의 수로 표현해 보세요.

(　　　　　)

[01~04] 현정이네 모둠이 투호에 넣은 화살 수를 나타낸 표입니다. 물음에 답하세요.

현정이네 모둠이 넣은 화살 수

이름	현정	지훈	연수	경호
화살 수(개)	6	4	5	5

01 현정이네 모둠은 모두 몇 명일까요?

( )

02 현정이네 모둠은 화살을 모두 몇 개 넣었을까요?

( )

03 대표적으로 한 사람이 화살을 몇 개쯤 넣었다고 말할 수 있을까요?

( )

04 한 사람당 넣은 화살 수를 정하는 올바른 방법을 찾아 기호를 써 보세요.

> ㉠ 넣은 화살 수 6, 4, 5, 5 중 가장 큰 수인 6으로 정합니다.
> ㉡ 넣은 화살 수 6, 4, 5, 5 중 가장 작은 수인 4로 정합니다.
> ㉢ 넣은 화살 수 6, 4, 5, 5를 고르게 하면 5, 5, 5, 5가 되므로 5로 정합니다.

( )

[05~07] 성우네 모둠이 이번 주에 읽은 동화책 수를 나타낸 표입니다. 물음에 답하세요.

성우네 모둠이 읽은 동화책 수

이름	성우	민서	주현	재경	석진
책 수(권)	2	8	5	4	6

05 성우네 모둠이 읽은 동화책 수를 막대그래프로 나타내어 보세요.

성우네 모둠이 읽은 동화책 수

06 위 **05**의 막대그래프에 나타낸 막대의 높이를 고르게 하려면 몇 칸으로 해야 할까요?

( )

07 성우네 모둠이 읽은 동화책 수의 평균은 몇 권일까요?

( )

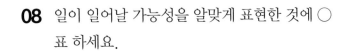

08 일이 일어날 가능성을 알맞게 표현한 것에 ○ 표 하세요.

> 1부터 6까지의 눈이 있는 주사위를 굴리면 주사위 눈의 수가 7이 나올 것입니다.

(불가능하다 , 반반이다 , 확실하다)

[09~10] 지민이네 학교 5학년 학급별 학생 수를 나타낸 표입니다. 물음에 답하세요.

학급별 학생 수

학급(반)	1	2	3	4	5
학생 수(명)	35	38	36	33	38

09 5학년 학생 수는 모두 몇 명인지 □ 안에 알맞은 수를 써넣으세요.

$$35+38+36+\boxed{}+38=\boxed{}(명)$$

10 지민이네 학교 5학년의 한 학급당 학생 수의 평균을 구하세요.

(   )

11 상자 안에 1번부터 10번까지의 번호표가 들어 있습니다. 상자 안에서 번호표를 한 개 꺼낼 때 꺼낸 번호표가 1번부터 10번까지의 번호일 가능성을 말로 표현해 보세요.

(   )

[12~14] 성찬이네 아파트 동별 주민 수와 나이의 합을 나타낸 표입니다. 물음에 답하세요.

아파트 동별 주민 수와 나이의 합

동	1동	2동
주민 수(명)	24	20
나이의 합(살)	1080	1020

12 아파트 동별 주민들의 평균 나이는 각각 몇 살일까요?

1동 (   )

2동 (   )

13 주민들의 평균 나이가 더 많은 동은 어느 동일까요?

(   )

14 성찬이네 집은 1동입니다. 성찬이 아버지의 나이가 42살일 때 성찬이 아버지의 나이는 1동의 평균 나이보다 많을까요, 적을까요?

(   )

15 현지와 재철이가 노란색과 파란색을 사용하여 회전판을 만들었습니다. 화살이 노란색에 멈출 가능성이 더 높은 회전판을 만든 사람의 이름을 써 보세요.

현지　　　　　　재철

(　　　　　　　　　)

16 □ 안에 알맞은 수를 써넣으세요.

주머니 속에 검은색 바둑돌 3개가 있습니다. 이 주머니에서 바둑돌 1개를 꺼낼 때 꺼낸 바둑돌이 흰색일 가능성을 0부터 1까지의 수로 표현하면 □ 입니다.

17 혜림이네 모둠의 국어 점수를 나타낸 표입니다. 국어 점수의 평균을 구하세요.

국어 점수　　　　　(단위: 점)

| 73 | 82 | 84 | 90 | 68 |
| 87 | 77 | 94 | 80 | 95 |

(　　　　　　　　　)

[18~19] 선희네 학교에서는 올해 걷기 대회를 4회 했습니다. 5학년과 6학년 학생의 걷기 대회 참가자 수를 나타낸 표를 보고 물음에 답하세요.

대회별 참가자 수

대회	1회	2회	3회	4회
5학년 참가자 수(명)	50	53	46	43
6학년 참가자 수(명)	54	48	52	46

18 각 학년의 걷기 대회 참가자 수의 평균을 구하세요.

5학년 (　　　　　　　　　)
6학년 (　　　　　　　　　)

19 5학년과 6학년의 전체 학생 수가 같을 때 어느 학년의 참가자 수가 더 많다고 할 수 있을까요?

(　　　　　　　　　)

20 □ 안에 알맞은 수를 써넣으세요.

윤진이는 12월 한 달 동안 매일 윗몸 말아 올리기를 하루에 평균 26번을 했습니다. 윤진이는 12월 한 달 동안 윗몸 말아 올리기를 모두 □ 번 했습니다.

01 □ 안에 알맞은 말을 써넣으세요.

> 각 자료의 값을 모두 더하여 자료의 수로 나눈 값으로서 대표하는 값을 □ 이 라고 합니다.

[02~04] 정선이가 지난달에 마신 우유의 양을 나타낸 표입니다. 물음에 답하세요.

정선이가 마신 우유의 양

주	1주	2주	3주	4주
우유의 양(L)	2	4	3	3

02 정선이가 지난달에 마신 우유의 양만큼 종이 띠를 이어 붙인 것입니다. 종이띠를 4등분이 되도록 선을 그어 보세요.

03 위 **02**에서 이어 붙인 종이띠를 4등분이 되도록 접으면 접혀서 나뉜 종이띠에는 🥛 그림이 몇 개씩 있을까요?

( )

04 정선이가 지난달에 마신 우유의 양의 평균은 몇 L일까요?

( )

[05~07] 윤아네 모둠이 모은 폐휴지의 양을 나타낸 표입니다. 물음에 답하세요.

윤아네 모둠이 모은 폐휴지 양

이름	윤아	성용	기훈	경희
폐휴지 양(kg)	13	9	11	15

05 윤아네 모둠은 모두 몇 명일까요?

( )

06 윤아네 모둠이 모은 폐휴지는 모두 몇 kg일 까요?

( )

07 윤아네 모둠이 한 사람당 모은 폐휴지 양의 평균은 몇 kg일까요?

( )

08 □ 안에 일이 일어날 가능성의 정도를 알맞게 써넣으세요.

← 일이 일어날 가능성이 낮습니다.   일이 일어날 가능성이 높습니다. →

	~일 것 같다

불가능하다   반반이다

[09~10] 지난주 효주네 교실의 요일별 실내 최고 온도를 나타낸 표입니다. 물음에 답하세요.

교실의 요일별 실내 최고 온도

요일	월	화	수	목	금
온도(℃)	20	23	19	21	17

09 교실의 실내 최고 온도를 조사한 날은 모두 며칠일까요?

( )

10 지난주 효주네 교실의 실내 최고 온도의 평균은 몇 ℃일까요?

( )

11 표를 보고 가족들의 몸무게의 평균은 몇 kg 인지 구하세요.

가족들의 몸무게

가족	아버지	어머니	형	나	동생
몸무게(kg)	76	54	62	46	32

( )

[12~13] 서진이의 과목별 점수를 나타낸 표입니다. 물음에 답하세요.

과목별 점수

과목	국어	수학	사회	과학	체육
점수(점)	96	90	89	88	92

12 서진이의 과목별 평균 점수는 몇 점일까요?

( )

13 사회 점수는 다섯 과목의 평균 점수보다 높을까요, 낮을까요?

( )

14 서연이의 말을 읽고 승민이가 아이스크림을 먹을 가능성을 0부터 1까지의 수로 표현해 보세요.

승민아, 내가 100원짜리 동전을 던져서 숫자 면이 나오면 아이스크림을 사 줄게.

서연

( )

[15~16] 어느 마을의 과수원별 배 수확량을 나타낸 표입니다. 과수원별 배 수확량의 평균이 530 kg일 때 물음에 답하세요.

과수원별 배 수확량

과수원	가	나	다	라
수확량(kg)	460	650		480

15 네 과수원의 배 수확량을 모두 더하면 몇 kg 일까요?

( )

16 다 과수원의 배 수확량은 몇 kg일까요?

( )

17 일이 일어날 가능성을 알맞게 표현한 것을 찾아 기호를 써 보세요.

동전을 3번 던지면 3번 모두 그림 면이 나올 것입니다.

㉠ 불가능하다   ㉡ ~아닐 것 같다
㉢ 반반이다   ㉣ 확실하다

( )

18 일이 일어날 가능성이 '확실하다'인 경우를 찾아 기호를 써 보세요.

㉠ 정민이는 올해 10월에 5학년이므로 내년 3월에는 6학년이 될 것입니다.
㉡ 은행에서 뽑은 대기 번호표의 번호가 홀수일 것입니다.

( )

19 흰색 공이 4개 들어 있는 주머니에서 공 1개를 꺼낼 때 꺼낸 공이 흰색일 가능성을 0부터 1까지의 수로 표현해 보세요.

( )

20 철우의 시험 점수를 나타낸 표입니다. 시험 점수의 평균이 86점이라면 수학은 몇 점을 받았을까요?

시험 점수

과목	국어	수학	사회	과학
점수(점)	84		77	91

( )

스피드 정답표 14쪽, 정답 및 풀이 45쪽

[01~02] 어느 과수원에 있는 과일나무의 수를 나타낸 표입니다. 물음에 답하세요.

과수원에 있는 과일나무 수

과일나무	감	귤	사과	배	포도
나무 수(그루)	12	15	11	13	14

01 과수원에 있는 한 과일나무당 대표적으로 나무 수를 정하려고 합니다. ☐ 안에 알맞은 수를 써넣으세요.

> 각 과일나무 수 12, 15, 11, 13, 14를 고르게 하면 ☐ , ☐ , ☐ , ☐ ,
> ☐ 이 되므로 ☐ 으로 정합니다.

02 과수원에는 한 과일나무당 평균 ☐ 그루의 나무가 있습니다.

[03~04] 주머니 속에 빨간색 공 2개와 파란색 공 2개가 들어 있습니다. 주머니에서 공 한 개를 꺼낼 때 물음에 답하세요.

03 꺼낸 공이 빨간색일 가능성을 0부터 1까지의 수로 표현해 보세요.

( )

04 꺼낸 공이 파란색일 가능성을 ↓로 나타내어 보세요.

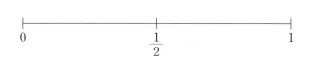

0        $\frac{1}{2}$ 1

[05~06] 정국이네 모둠이 한 시간 동안 접은 종이학 수만큼 모형을 붙여 놓은 것입니다. 물음에 답하세요.

정국   세현   민아   남준

05 모형을 옮겨 모형의 수를 고르게 하면 한 사람당 모형은 몇 개씩일까요?

( )

06 정국이네 모둠이 한 시간 동안 한 사람당 접은 종이학 수의 평균은 몇 개일까요?

( )

07 지연이와 친구들의 몸무게를 나타낸 표입니다. 4명의 몸무게의 평균은 몇 kg일까요?

친구들의 몸무게

이름	지연	영훈	희주	은미
몸무게(kg)	48	47	53	52

( )

6 평균과 가능성

[08~10] 인라인 스케이트 동아리 회원의 나이를 나타낸 표입니다. 물음에 답하세요.

동아리 회원의 나이

이름	수호	진우	혜영	민지
나이(살)	12	14	11	15

08 동아리 회원의 평균 나이는 몇 살일까요?

$(12+14+$ ⬚ $+$ ⬚ $)\div 4=$ ⬚ (살)

09 새로운 회원 한 명이 더 들어와서 평균 나이가 한 살 늘어났습니다. 회원 한 명이 더 들어와서 전체 회원 나이의 총합은 몇 살 늘어났을까요?

⬚ $+5=$ ⬚ (살)

10 위 **09**에서 새로운 회원의 나이는 몇 살일까요?

( )

11 상혁이는 전체가 260쪽인 위인전을 5일 동안 모두 읽으려고 합니다. 하루에 평균 몇 쪽씩 읽어야 할까요?

( )

[12~14] 희철이의 과목별 점수를 나타낸 표입니다. 물음에 답하세요.

과목별 점수

과목	국어	수학	사회	과학
점수(점)	85	90	85	60

12 희철이의 4과목 점수의 평균은 몇 점일까요?

( )

13 희철이가 다음 시험에서 평균 10점을 올리기 위해서는 4과목의 총점이 몇 점이 되어야 할까요?

⬚ $\times 4=$ ⬚ (점)

14 희철이가 다음 시험에서 평균 10점을 올리기 위해서 받아야 할 점수를 예상해 보세요.

과목별 점수

과목	국어	수학	사회	과학	총합
점수(점)					

15 일이 일어날 가능성을 찾아 선으로 이어 보세요.

내년에는 3월이 5월보다 빨리 올 것입니다. •	• 확실하다
2와 4를 곱하면 10이 될 것입니다. •	• ~일 것 같다
	• 반반이다
1부터 6까지의 눈이 있는 주사위 한 개를 굴리면 나오는 눈의 수가 5 이상일 것입니다. •	• ~아닐 것 같다
	• 불가능하다

16 회전판에서 화살이 흰색에 멈출 가능성이 높은 순서대로 기호를 써 보세요.

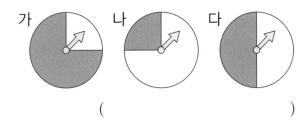

가　　나　　다

(　　　　　　　　　　)

17 카드 중 한 장을 뽑을 때 의 카드를 뽑을 가능성을 0부터 1까지의 수로 표현해 보세요.

(　　　　　　　　　　)

[18~19] 송희의 공 던지기 기록을 나타낸 표입니다. 물음에 답하세요.

공 던지기 기록

회	1회	2회	3회	4회	5회
기록(m)	32	36	30	32	35

18 송희의 공 던지기 기록의 평균은 몇 m일까요?

(　　　　　　　　　　)

19 평균보다 낮은 기록을 던진 것은 모두 몇 번일까요?

(　　　　　　　　　　)

서술형

20 태현이와 친구들의 사회 점수를 나타낸 표입니다. 네 명의 평균 점수가 94점일 때 은채의 사회 점수는 몇 점인지 풀이 과정을 쓰고 답을 구하세요.

사회 점수

이름	태현	동규	민영	은채
점수(점)	96	87	95	

풀이

답 _____

스피드 정답표 14쪽, 정답 및 풀이 46쪽

[01~02] 지원이가 클립 5상자에 들어 있는 클립의 수를 세어 나타낸 표입니다. 물음에 답하세요.

클립 상자에 들어 있는 클립 수

상자	가	나	다	라	마
클립 수(개)	29	31	30	32	28

01 한 상자당 클립 수를 바르게 정한 친구를 찾아 이름을 써 보세요.

> 의진: 각 상자의 클립 수 중 가장 큰 수로 정하면 됩니다.
>
> 해수: 각 상자의 클립 수를 고르게 하여 정하면 됩니다.

( )

02 한 상자당 클립 수는 평균 몇 개일까요?

( )

[03~04] 혜진이가 구슬 개수 맞히기를 하고 있습니다. 구슬 4개가 들어 있는 주머니에서 손에 잡히는 대로 구슬을 꺼냈습니다. 물음에 답하세요.

03 꺼낸 구슬의 개수가 짝수일 가능성을 말로 표현해 보세요.

( )

04 꺼낸 구슬의 개수가 홀수일 가능성을 0부터 1까지의 수로 표현해 보세요.

( )

[05~06] 준호와 친구들이 1년 동안 읽은 책 수를 나타낸 표입니다. 물음에 답하세요.

친구들이 읽은 책 수

이름	준호	서영	영산	세원
책 수(권)	57	68	54	65

05 4명의 학생이 1년 동안 읽은 책은 평균 몇 권일까요?

( )

06 준호가 읽은 책 수는 친구들이 읽은 책 수의 평균보다 많을까요, 적을까요?

( )

07 일이 일어날 가능성이 높은 순서대로 기호를 써 보세요.

> ㉠ 흰색 구슬이 5개 들어 있는 주머니에서 꺼낸 구슬이 노란색일 가능성
>
> ㉡ 빨간색 구슬이 2개 들어 있는 주머니에서 꺼낸 구슬이 빨간색일 가능성
>
> ㉢ 파란색 구슬 1개와 초록색 구슬 1개가 들어 있는 주머니에서 꺼낸 구슬이 초록색일 가능성

( )

08 오른쪽 회전판을 돌렸을 때 화살이 검은색에 멈출 가능성을 ↓로 나타내어 보세요.

```
├─────────────┼─────────────┤
0             1/2            1
```

09 수연이의 타자 속도는 1분에 평균 186타입니다. 수연이가 1시간 동안 칠 수 있는 타자는 몇 타일까요?

(   )

[10~11] 지훈이네 학교의 운동장은 6000 m^2이고, 학생 수는 600명입니다. 연준이네 학교의 운동장은 6750 m^2이고, 학생 수는 750명입니다. 누구네 학교의 학생들이 운동장을 더 넓게 사용할 수 있는지 구하려고 합니다. 물음에 답하세요.

10 한 학생당 사용하는 운동장의 넓이는 각각 몇 m^2일까요?

지훈이네 학교 (   )

연준이네 학교 (   )

11 누구네 학교의 학생들이 한 명당 운동장을 더 넓게 사용할 수 있을까요?

(   )

[12~14] 진수네 모둠과 선영이네 모둠의 어제 컴퓨터 사용 시간을 나타낸 표입니다. 물음에 답하세요.

진수네 모둠의 컴퓨터 사용 시간

이름	진수	연아	윤주	현우	지민
시간(시간)	3	2	3	4	3

선영이네 모둠의 컴퓨터 사용 시간

이름	선영	지현	해은	상철
시간(시간)	1	5	4	6

12 컴퓨터 사용 시간이 더 긴 모둠을 찾는 방법에 대해 <u>잘못</u> 말한 친구를 찾아 이름을 써 보세요.

> 진수: 단순히 각 모둠의 최고 기록이나 최저 기록만으로는 어느 모둠의 사용 시간이 더 긴지 판단하기 어려워.
> 연아: 전체 컴퓨터 사용 시간이 긴 모둠을 찾으면 돼.
> 선영: 두 모둠의 컴퓨터 사용 시간의 평균을 비교해 보면 알 수 있어.

(   )

13 진수네 모둠과 선영이네 모둠의 컴퓨터 사용 시간의 평균은 각각 몇 시간일까요?

진수네 모둠 (   )

선영이네 모둠 (   )

14 어느 모둠의 컴퓨터 사용 시간이 더 길었다고 볼 수 있을까요?

(   )

[15~16] 어느 회사에서 5개월 동안 월별 불량품 수를 나타낸 표입니다. 물음에 답하세요.

월별 불량품 수

월	5	6	7	8	9
불량품 수(개)	15	45	39	22	9

15 이 회사에서 5개월 동안 불량품 수의 평균은 몇 개일까요?

(   )

16 이 회사에서 5월부터 10월까지 불량품 수의 평균이 5월부터 9월까지 불량품 수의 평균보다 많아졌다면 10월에 불량품 수는 적어도 몇 개일까요?

(   )

17 어느 공장에서 음료수를 3주 동안 하루에 평균 124병씩 생산하였습니다. 이 음료수를 한 병에 350원씩 받고 모두 팔았다면 음료수를 판 돈은 모두 얼마일까요?

(   )

[18~19] 파란색과 빨간색을 사용하여 회전판을 만들었습니다. 물음에 답하세요.

가    나

18 화살이 빨간색에 멈추는 것이 불가능한 회전판을 찾아 기호를 써 보세요.

(   )

19 화살이 빨간색에 멈출 가능성과 파란색에 멈출 가능성이 비슷한 회전판을 찾아 화살이 파란색에 멈출 가능성을 0부터 1까지의 수로 표현해 보세요.

(   )

> 서술형

20 민혁이와 친구들의 키를 나타낸 표입니다. 키가 평균보다 큰 사람은 모두 몇 명인지 풀이 과정을 쓰고 답을 구하세요.

친구들의 키

이름	민혁	소민	은희	승진	수경
키(cm)	147	152	142	154	150

풀이

답 _____

스피드 정답표 14쪽, 정답 및 풀이 46쪽

[01~02] 어느 미술관의 지난주 6일 동안 입장객 수를 나타낸 표입니다. 물음에 답하세요.

미술관 입장객 수

요일	화	수	목	금	토	일
입장객 수(명)	65	78	84	61	98	112

01 미술관의 하루 평균 입장객 수를 구하세요.

(　　　　　　　)

02 입장객 수가 평균에 가장 가까운 날은 무슨 요일일까요?

(　　　　　　　)

[03~04] 현서가 4개월 동안 저금한 금액을 나타낸 표입니다. 물음에 답하세요.

저금한 금액

월	1	2	3	4
저금한 금액(원)	4000	5000	3000	6000

03 현서가 4개월 동안 저금한 금액의 평균은 얼마일까요?

(　　　　　　　)

04 현서가 1월부터 5월까지 저금한 금액의 평균이 1월부터 4월까지 저금한 금액의 평균보다 적어졌습니다. 알맞은 말에 ○표 하세요.

> 5월에 저금한 금액은 4500원보다
> (많습니다 , 적습니다).

[05~07] 체육대회 날에 태형이네 학교 5학년 학생들은 우유갑을 이용하여 규칙이 있는 구조물을 만들기 위해 우유갑을 모으고 있습니다. 물음에 답하세요.

학급별 학생 수

학급(반)	1	2	3	4	5
학생 수(명)	25	26	24	24	26

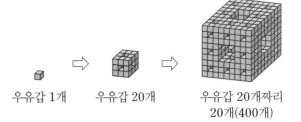

우유갑 1개　　우유갑 20개　　우유갑 20개짜리 20개(400개)

05 구조물을 만들려면 우유갑 8000개가 필요합니다. 한 학급당 우유갑을 평균 몇 개씩 모아야 할까요?

(　　　　　　　)

06 한 학급당 학생 수는 평균 몇 명일까요?

(　　　　　　　)

07 한 명당 우유갑을 평균 몇 개씩 모아야 할까요?

(　　　　　　　)

[08~09] 영욱이네 반 남녀 학생들의 100 m 달리기 기록의 평균을 나타낸 것입니다. 물음에 답하세요.

100 m 달리기 기록의 평균

남학생 15명	16.6초
여학생 15명	17.4초

08 영욱이네 반 전체 학생의 기록의 합계를 구하세요.

( )

09 영욱이네 반 전체 학생의 100 m 달리기 기록의 평균은 몇 초일까요?

( )

서술형

10 정현이가 게임에서 얻은 점수를 나타낸 표입니다. 얻은 점수의 평균은 몇 점인지 두 가지 방법으로 구하세요.

게임에서 얻은 점수

회	1	2	3	4	5
얻은 점수(점)	55	55	50	40	50

방법1 _____

_____

방법2 _____

_____

[11~13] 호석이네 모둠과 남주네 모둠이 1시간 동안 접은 종이배 수를 나타낸 표입니다. 두 모둠이 접은 종이배 수의 평균이 같을 때 물음에 답하세요.

호석이네 모둠이 접은 종이배 수

이름	호석	진우	경준	민철	상은
종이배 수(개)	6	7	9	5	3

남주네 모둠이 접은 종이배 수

이름	남주	미선	하준	영서
종이배 수(개)	5	8	7	

11 호석이네 모둠이 접은 종이배 수의 평균은 몇 개일까요?

( )

12 남주네 모둠이 접은 종이배 수는 모두 몇 개일까요?

( )

13 영서가 접은 종이배는 몇 개일까요?

( )

14 회전판을 100번 돌려 화살이 멈춘 횟수를 나타낸 표를 보고 일이 일어날 가능성이 가장 비슷한 회전판을 찾아 기호를 써 보세요.

색깔	빨강	파랑	노랑
횟수(회)	25	25	50

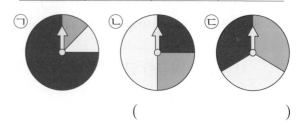

( )

15 효주는 3일 동안 하루 평균 30분씩 운동을 하기로 하였습니다. 운동 시간을 나타낸 표를 보고 운동 시간이 평균 30분이 되기 위해 수요일에 운동을 끝내야 하는 시각을 구하세요.

운동 시간

요일	월	화	수
시작 시각	오후 5 : 00	오후 5 : 10	오후 5 : 15
끝난 시각	오후 5 : 20	오후 5 : 40	

(   )

[16~17] 지훈이가 바둑돌 개수 맞히기를 하고 있습니다. 바둑돌 6개가 들어 있는 주머니에서 손에 잡히는 대로 바둑돌을 꺼냈습니다. 물음에 답하세요.

16 꺼낸 바둑돌의 개수가 2의 배수일 가능성을 말과 0부터 1까지의 수로 표현해 보세요.

말 _____

수 _____

17 꺼낸 바둑돌의 개수가 2의 배수일 가능성과 회전판의 화살이 파란색에 멈출 가능성이 같도록 회전판을 색칠해 보세요.

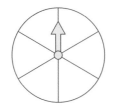

18 조건에 알맞은 회전판이 되도록 색칠하려고 합니다. ㉠, ㉡, ㉢에 알맞은 색깔을 써 보세요.

┤조건├
• 화살이 보라색에 멈출 가능성이 가장 높습니다.
• 화살이 파란색에 멈출 가능성은 분홍색에 멈출 가능성의 2배입니다.

㉠ (   )
㉡ (   )
㉢ (   )

19 은진이네 학교에서 단체 줄넘기 대회를 하는데 7회까지의 평균 기록이 30번이 되어야 결승에 올라갈 수 있습니다. 5학년 4반의 기록이 다음과 같을 때 4반이 결승에 올라가려면 마지막에 적어도 몇 번을 넘어야 할까요?

| 29, 30, 26, 35, 31, 25, ☐ |

(   )

서술형

20 어떤 책을 연경이는 일주일 동안 546쪽을 읽었고, 성준이는 4일 동안 304쪽을 읽었습니다. 하루에 읽은 평균 쪽수는 누가 몇 쪽 더 많은지 풀이 과정을 쓰고 답을 구하세요.

풀이

답 _____ , _____

6

평균과 가능성

01 마을별 학생 수를 나타낸 표입니다. 한 마을당 학생 수의 평균은 몇 명인지 구하세요.

마을별 학생 수

마을	장미	하늘	달빛	국화
학생 수(명)	23	34	43	28

❶ 마을별 학생 수는 모두 몇 명일까요?

( )

❷ 마을의 수는 몇 개일까요?

( )

❸ 한 마을당 학생 수의 평균은 몇 명일까요?

( )

02 준하네 모둠과 민철이네 모둠의 몸무게를 나타낸 표입니다. 어느 모둠의 몸무게의 평균이 더 무거운지 구하세요.

준하네 모둠의 몸무게

이름	준하	시언	나현	희준
몸무게(kg)	42	39	40	47

민철이네 모둠의 몸무게

이름	민철	현주	재아	경수	혜은
몸무게(kg)	51	34	36	44	40

❶ 준하네 모둠의 몸무게의 평균은 몇 kg일까요?

(몸무게의 평균)=(42+39+40+ ☐)÷ ☐ = ☐ ÷4= ☐ (kg)

( )

❷ 민철이네 모둠의 몸무게의 평균은 몇 kg일까요?

(몸무게의 평균)=(51+34+ ☐ + ☐ + ☐)÷ ☐

= ☐ ÷5= ☐ (kg)

( )

❸ 준하네 모둠과 민철이네 모둠 중 어느 모둠의 몸무게의 평균이 더 무거울까요?

( )

03 연홍이네 학교 학생들이 체험 학습을 가기 위해 5대의 버스에 다음과 같이 나누어 탔습니다. 한 버스당 탄 학생 수의 평균이 35명일 때 라 버스에 탄 학생은 몇 명인지 구하세요.

버스별 탄 학생 수

버스	가	나	다	라	마
학생 수(명)	38	35	36		32

❶ 5대의 버스에 탄 학생은 모두 몇 명일까요?

$$\boxed{} \times 5 = \boxed{} \text{(명)}$$

(   )

❷ 라 버스에 탄 학생은 몇 명일까요?

(   )

04 가와 나 두 상자에 공이 들어 있습니다. 가 상자에는 흰색 공 4개가 들어 있고, 나 상자에는 흰색 공 2개와 검은색 공 2개가 들어 있습니다. 가와 나 상자에서 공을 한 개씩 꺼낼 때 꺼낸 공이 흰색일 가능성이 더 높은 상자는 어느 것인지 구하세요.

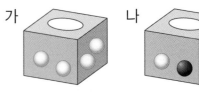

❶ 가 상자에서 꺼낸 공이 흰색일 가능성을 말로 표현해 보세요.

가 상자에는 흰색 공만 있으므로 가 상자에서 꺼낸 공이 흰색일 가능성을 말로 표현하면

'$\boxed{}$'입니다.

(   )

❷ 나 상자에서 꺼낸 공이 흰색일 가능성을 말로 표현해 보세요.

나 상자에는 흰색 공과 검은색 공이 2개씩 있으므로 나 상자에서 꺼낸 공이 흰색일 가능성을 말로 표현하면 '$\boxed{}$'입니다.

(   )

❸ 가와 나 상자에서 공을 한 개씩 꺼낼 때 꺼낸 공이 흰색일 가능성이 더 높은 상자는 어느 것일까요?

(   )

01 기홍이가 5일 동안 읽은 독서량을 나타낸 표입니다. 하루에 읽은 독서량의 평균은 몇 쪽인지 풀이 과정을 쓰고 답을 구하세요.

기홍이의 독서량

요일	월	화	수	목	금
독서량(쪽)	20	30	25	40	35

풀이

답 _____

어떻게 풀까요?

• (평균)
　＝(자료의 값을 모두 더한 수)
　　÷(자료의 수)

02 희정이네 가족과 규홍이네 가족의 키를 나타낸 표입니다. 어느 가족의 키의 평균이 더 큰지 풀이 과정을 쓰고 답을 구하세요.

희정이네 가족의 키

이름	아버지	어머니	언니	희정
키(cm)	176	154	138	132

규홍이네 가족의 키

이름	아버지	어머니	형	규홍	동생
키(cm)	182	154	146	137	126

풀이

답 _____

어떻게 풀까요?

• 가족별 키의 평균을 구하여 비교합니다.

03 주선이네 모둠 학생들이 왕복 오래달리기를 한 기록을 나타낸 표입니다. 한 학생당 왕복 오래달리기 횟수의 평균이 98회일 때 기록이 가장 좋은 학생의 기록은 몇 회인지 풀이 과정을 쓰고 답을 구하세요.

왕복 오래달리기 기록

이름	주선	진우	희열	세진	명은
기록(회)	94	90		104	86

풀이

어떻게 풀까요?

• (자료의 값을 모두 더한 수)
 =(평균)×(자료의 수)
 임을 이용하여 희열이의 기록을 알아봅니다.

답 _____

04 가와 나 두 상자에 다음과 같이 카드가 들어 있습니다. 가와 나 상자에서 카드를 한 장씩 꺼낼 때 ♣의 카드를 꺼낼 가능성이 더 높은 상자는 어느 것인지 풀이 과정을 쓰고 답을 구하세요.

가  나

풀이

어떻게 풀까요?

• 가 상자와 나 상자에서 꺼낸 카드가 ♣일 가능성을 말로 표현하여 비교해 봅니다.

답 _____

6
평균과 가능성

스피드 정답표 15쪽, 정답 및 풀이 48쪽

오답률 7%

01 은지가 5일 동안 먹은 호두의 수를 나타낸 표입니다. 은지가 먹은 호두의 수의 평균은 몇 개일까요?

은지가 5일 동안 먹은 호두의 수

요일	월	화	수	목	금
호두의 수(개)	3	2	5	1	4

( )

오답률 9%

02 지우네 모둠의 팔굽혀펴기 기록을 나타낸 표입니다. 지우네 모둠의 팔굽혀펴기 기록의 평균은 몇 개일까요?

지우네 모둠의 팔굽혀펴기 기록

이름	지우	민호	은서	지윤
기록(개)	9	14	3	6

( )

오답률 16%

03 일이 일어날 가능성이 높은 것부터 순서대로 기호를 쓰세요.

> ㉠ 노란색 구슬만 3개 들어 있는 주머니에서 꺼낸 구슬이 흰색일 거야.
> ㉡ 오늘은 금요일이니까 내일은 토요일이야.
> ㉢ 주사위를 던지면 주사위 눈의 수가 4보다 작은 수가 나올 거야.

( )

오답률 25%

04 태훈이네 학교 5학년 학급별 학생 수를 나타낸 표입니다. 5학년 학급별 학생 수의 평균이 22명일 때, 3반의 학생 수는 몇 명일까요?

학급별 학생 수

학급(반)	1	2	3	4	5
학생 수(명)	22	19		20	24

( )

오답률 32%

05 과수원별 귤 생산량을 나타낸 표입니다. 귤 생산량의 평균이 17톤일 때, 나 과수원의 귤 생산량은 몇 톤일까요?

과수원별 귤 생산량

과수원	가	나	다	라
생산량(톤)	20		17	19

( )

배움으로 행복한 내일을 꿈꾸는
천재교육 커뮤니티 안내 · · ·

 교재 안내부터 구매까지 한 번에!
천재교육 홈페이지

자사가 발행하는 참고서, 교과서에 대한 소개는 물론
도서 구매도 할 수 있습니다. 회원에게 지급되는 별을 모아
다양한 상품 응모에도 도전해 보세요!

 다양한 교육 꿀팁에 깜짝 이벤트는 덤!
천재교육 인스타그램

천재교육의 새롭고 중요한 소식을 가장 먼저 접하고 싶다면?
천재교육 인스타그램 팔로우가 필수!
깜짝 이벤트도 수시로 진행되니 놓치지 마세요!

 수업이 편리해지는
천재교육 ACA 사이트

오직 선생님만을 위한, 천재교육 모든 교재에 대한 정보가 담긴
아카 사이트에서는 다양한 수업자료 및 부가 자료는 물론
시험 출제에 필요한 문제도 다운로드하실 수 있습니다.

https://aca.chunjae.co.kr

 천재교육을 사랑하는 샘들의 모임
천사샘

학원 강사, 공부방 선생님이시라면 누구나 가입할 수 있는 천사샘!
교재 개발 및 평가를 통해 교재 검토진으로 참여할 수 있는 기회는 물론
다양한 교사용 교재 증정 이벤트가 선생님을 기다립니다.

 아이와 함께 성장하는 학부모들의 모임공간
튠맘 학습연구소

튠맘 학습연구소는 초·중등 학부모를 대상으로 다양한 이벤트와 함께
교재 리뷰 및 학습 정보를 제공하는 네이버 카페입니다.
초등학생, 중학생 자녀를 둔 학부모님이라면 튠맘 학습연구소로 오세요!

단원평가

단원평가

스피드 정답표

1 **수의 범위와 어림하기**

3쪽 쪽지시험 1회 (풀이는 16쪽에)

01 151.0 cm, 146.0 cm

02 46.7 kg, 51.0 kg, 50.8 kg

03 153회, 117회 **04** 17권, 15권

05 15, 16, 17에 ○표, 13, 14, 15에 △표

06 27, 28에 ○표, 24, 25에 △표

07 18 19 20 21 22 23 24

08 13 14 15 16 17 18 19

09 31 32 33 34 35 36 37 38

10 49 50 51 52 53 54 55

4쪽 쪽지시험 2회 (풀이는 16쪽에)

01 8, 9, 10에 ○표 **02** 16, 17, 18에 ○표

03 28, 29, 30에 ○표

04 31 32 33 34 35 36 37 38

05 40 41 42 43 44 45 46

06 250에 ○표 **07** 600에 ○표 **08** 3500에 ○표

09 42 **10** 65.1

5쪽 쪽지시험 3회 (풀이는 16쪽에)

01 360에 ○표 **02** 400에 ○표

03 8100에 ○표 **04** 46.1

05 9.23 **06** 1350, 1400

07 1300, 1000 **08** 4470, 4000

09 24 cm **10** 37.1 cm

6쪽 쪽지시험 4회 (풀이는 16쪽에)

01 올림에 ○표 **02** 160 **03** 16번

04 버림에 ○표 **05** 800 **06** 8개

07 163, 158, 159 **08** 올림에 ○표

09 버림에 ○표 **10** 버림에 ○표

7~9쪽 단원평가 1회 난이도 (풀이는 17쪽에)

01 이상 **02** 미만

03 39, 40, 41, 42에 ○표

04 14, 15에 ○표 **05** 540

06 2400 **07** ⑤

08 희준, 민기, 명철

09 146.0 cm, 152.0 cm, 147.3 cm

10 35 초과인 수

11 (위부터) 240, 300 ; 4860, 4900

12 (위부터) 160, 100 ; 5710, 5700

13 51 **14** 28 **15** 5000명

16 10 20 30 40 50 60 70 80 90

17 ①, ⑤ **18** 버림에 ○표

19 4개 **20** 8대

10~12쪽 단원평가 2회 A 난이도 (풀이는 17쪽에)

01 ① **02** 28, 29, 30, 31

03 8900 **04** 85000 **05** 예슬, 사랑

06 28권, 31권 **07** ③

08 유경, 수철, 보람

09 38.5 kg, 40.0 kg, 34.6 kg

10 13 이상 17 미만인 수

11 2, 5에 ○표, 19, 25에 △표 **12** 유리

13 9 10 11 12 13 14 15 16

14 24 25 26 27 28 29 30 31

15 ④ **16** 1760, 1800, 2000

17 4 cm **18** 올림에 ○표 **19** 16개

20 16000원

13~15쪽 단원평가 3회 B 난이도 (풀이는 18쪽에)

01 4000 **02** 세윤 **03** 15, 17

04 ④ **05** 38, 40, 46 **06** ①, ④

07 ① **08** 2400, =, 2400

09 82, 75에 ○표 **10** 정민, 지민

11

32 33 34 35 36 37 38 39

12 ㉠, ㉢   **13** 5, 6, 7, 8, 9   **14** ㉡, ㉣

15 윤호, 지아   **16**

0   40   80

17 14개   **18** 5299

19 ㉐ 사야 하는 색종이의 묶음 수를 알아보려면 올림을 이용합니다. 467을 올림하여 백의 자리까지 나타내면 467 → 500입니다.

따라서 필요한 색종이의 수를 500장으로 생각하면 색종이는 최소 100장씩 5묶음을 사야 합니다.

; 5묶음

20 170

16~18쪽 단원평가 4회 **B** 난이도   풀이는 19쪽에

01 60   **02** 1.25, 3.75   **03** ②

04 2개   **05** 소라

06

45   50   55

07 7700, 7600, 7600   **08** 139, 140, 147

09 예은, 민정   **10** 재민   **11** 345, 290

12 ㉠, ㉣   **13** 2, 3   **14** ㉠, ㉣, ㉤

15 화장지   **16** ④   **17** 54000원

18 600개   **19** 7

20 ㉐ 필요한 의자의 수를 알아보려면 올림을 이용합니다. 295를 올림하여 십의 자리까지 나타내면 300입니다. 따라서 학생 수를 300명으로 생각하면 의자는 최소 30개 필요합니다. ; 30개

19~21쪽 단원평가 5회 **C** 난이도   풀이는 19쪽에

01 48, 41, 38   **02** <

03

31 32 33 34 35 36 37 38 39 40

04 ③   **05** ⑤   **06** 3대

07 46   **08** ②   **09** 수아

10 240, 320   **11** 85 이상 95 미만

12

5 10 15 20 25 30 35 40 45 50

13 6400   **14** ㉡   **15** 32대

16 9

---

17 ㉐ · 34 이상 41 미만인 수: 34, 35, 36, 37, 38, 39, 40

· 38 초과 45 이하인 수: 39, 40, 41, 42, 43, 44, 45

따라서 두 수의 범위에 공통으로 속하는 자연수는 39, 40입니다. ; 39, 40

18 1400원   **19** 6000원

20 ㉐ 학생들이 버스 3대의 좌석에 모두 앉고 1명이 더 있다고 하면 45×3+1=136(명)이므로 136명 이상입니다. 학생들이 버스 4대의 좌석에 모두 앉으면 45×4=180(명)이므로 180명 이하입니다.

따라서 준서네 학교 5학년 학생은 136명 이상 180명 이하입니다. ; 136명 이상 180명 이하

22~23쪽 단계별로 연습하는 **서술형평가**   풀이는 20쪽에

01 ❶ 55, 60, 60.0, 55.3, 58.7, 56.9

; 60.0 kg, 55.3 kg, 58.7 kg, 56.9 kg

❷ 정민, 준호, 한철, 명우   ❸ 4명

02 ❶ 23, 작은에 ○표 , 23, 미만에 ○표

; 23 미만인 수

❷ 22

03 ❶ 100, 14200 ; 14200

❷ 0, 14000 ; 14000   ❸ 200

04 ❶ 7, 6, 5, 2 ; 7652   ❷ 5, 올림에 ○표 ; 7700

24~25쪽 풀이 과정을 직접 쓰는 **서술형평가**   풀이는 20쪽에

01 ㉐ 12 초과 14 이하인 수는 12보다 크고 14와 같거나 작은 수입니다.

따라서 기온이 12 ℃ 초과 14 ℃ 이하인 도시는 서울(13.1 ℃), 대전(13.0 ℃)으로 2곳입니다. ; 2곳

02 ㉐ 수직선에 나타낸 수의 범위는 56 초과인 수이므로 57, 58, 59, 60……입니다.

따라서 수의 범위에 속하는 수 중 가장 작은 자연수는 57입니다. ; 57

03 ㉐ 61574를 올림하여 백의 자리까지 나타내면 61600이고 버림하여 천의 자리까지 나타내면 61000입니다. 따라서 두 수의 차는 61600−61000=600입니다. ; 600

04 ⓔ 만들 수 있는 가장 큰 네 자리 수는 9643입니다. 따라서 9643을 반올림하여 백의 자리까지 나타내면 9600입니다. ; 9600

05 ⓔ 반올림하여 십의 자리까지 나타내었더니 420이 되는 자연수 중에서 가장 작은 수는 415이고 가장 큰 수는 424입니다. 따라서 어떤 수가 될 수 있는 수의 범위는 415 이상 425 미만입니다.

; 415 이상 425 미만

26쪽 밀크티 성취도평가 **오답 베스트 5** 풀이는 21쪽에

01 16명
02 ③
03 ②
04 7530
05 ⓒ

---

2 분수의 곱셈

29쪽 **쪽지시험 1회** 풀이는 21쪽에

01 $3, \dfrac{3}{4}$ **02** $5, \dfrac{5}{7}$ **03** $28, \dfrac{28}{5}, 5\dfrac{3}{5}$

04 $4, 5, \dfrac{28}{5}, 5\dfrac{3}{5}$ **05** $5, 4, \dfrac{28}{5}, 5\dfrac{3}{5}$

06 $7, 7, 42, 8\dfrac{2}{5}$ **07** $\dfrac{2}{5}, 5, 2\dfrac{2}{5}, 8\dfrac{2}{5}$

08 $\dfrac{7}{10}$ **09** $7\dfrac{1}{5}$ **10** 10

30쪽 **쪽지시험 2회** 풀이는 21쪽에

01 $5, 5$ **02** $5, 25, 2\dfrac{7}{9}$ **03** $9, \dfrac{9}{5}, 1\dfrac{4}{5}$

04 $3, \dfrac{9}{5}, 1\dfrac{4}{5}$ **05** $3, \dfrac{9}{5}, 1\dfrac{4}{5}$

06 $11, 11, \dfrac{33}{5}, 6\dfrac{3}{5}$ **07** $2, 3, 6\dfrac{3}{5}$

08 $1\dfrac{1}{2}$ **09** 6 **10** 21

31쪽 **쪽지시험 3회** 풀이는 21쪽에

01 $4, 24$ **02** $2, 5, \dfrac{6}{25}$ **03** $28, \dfrac{15}{28}$

04 $4, \dfrac{15}{28}$ **05** $4, \dfrac{15}{28}$ **06** $\dfrac{9}{40}$

07 $\dfrac{1}{6}$ **08** $\dfrac{1}{14}$ **09** $>$

10 $<$

32쪽 **쪽지시험 4회** 풀이는 22쪽에

01 $7, 21, 2\dfrac{5}{8}$ **02** $1, 1, \dfrac{18}{7}, 2\dfrac{4}{7}$

03 $1, 1, \dfrac{12}{5}, 2\dfrac{2}{5}$ **04** $7, 7, 6, \dfrac{7}{24}$

05 $11, \dfrac{165}{56}, 2\dfrac{53}{56}$ **06** $\dfrac{3}{8}, 15, 45, 2\dfrac{53}{56}$

07 $11\dfrac{13}{25}$ **08** $1\dfrac{2}{3}$ **09** $3\dfrac{3}{5}$

10 $\dfrac{1}{3}$

33~35쪽 **단원평가 1회** Ⓐ 난이도 풀이는 22쪽에

01 8 **02** $2, 6, 1, 1$ **03** $7, 21, 2, 1$

04 $3, 15, 7, 1$ **05** $3, 12, 6\dfrac{2}{5}$

06 $14, 3, 2, 28, 9, 1$ **07** $3, 7, 3, 3$

08 $\dfrac{5}{14}$ **09** $8 \times \dfrac{7}{12} = \dfrac{\overset{2}{8} \times 7}{\underset{3}{12}} = \dfrac{14}{3} = 4\dfrac{2}{3}$

10 $2\dfrac{1}{4} \times 2\dfrac{1}{3} = \dfrac{\overset{3}{9}}{4} \times \dfrac{7}{\underset{1}{3}} = \dfrac{21}{4} = 5\dfrac{1}{4}$

11 $\dfrac{1}{15}$ **12** $12\dfrac{5}{6}$ **13** $>$

14 재환 **15** ⟨선잇기⟩ **16** (◯)( )

17 ㉠, ㉣ **18** $5, 2$ **19** $16\dfrac{1}{2}\ \text{cm}^2$

20 $18\dfrac{2}{3}\ \text{m}$

36~38쪽 단원평가 2회 ④ 난이도
풀이는 22쪽에

01 $5, \dfrac{3}{20}$ **02** $2, 2, 1$

03 $3, 4, 12, 1\dfrac{5}{7}$ **04** $7, \dfrac{21}{40}$

05 $\dfrac{4}{15}, 1, 5, \dfrac{1}{5}$ **06** $\dfrac{1}{66}$ **07** $4\dfrac{2}{5}$

08 (선 잇기) **09** $4\dfrac{3}{5} \times 3 = \dfrac{23}{5} \times 3 = \dfrac{69}{5} = 13\dfrac{4}{5}$

10 $\dfrac{5}{21}$ **11** $>$ **12** ⑤

13 (위부터) $91\dfrac{1}{4}, 18\dfrac{2}{5}, 3\dfrac{1}{5}$ **14** $\dfrac{2}{9}$

15 $(\bigcirc)(\quad)$ **16** 지현 **17** ㉢, ㉠, ㉡, ㉣

18 35 **19** $8, 41\dfrac{1}{3}$ **20** $13\,\text{kg}$

39~41쪽 단원평가 3회 ⑧ 난이도
풀이는 23쪽에

01 $2, 5, 1\dfrac{1}{4}$ **02** $3, 27$

03 $1, 4, 1, 1, 21\dfrac{1}{3}$ **04** $1, 16, 16, 5\dfrac{1}{3}$

05 $\dfrac{7}{45}$ **06** ㉣

07 $8 \times 3\dfrac{5}{12} = \overset{2}{8} \times \dfrac{41}{\underset{3}{12}} = \dfrac{82}{3} = 27\dfrac{1}{3}$

08 $\dfrac{5}{12}$

09 $4\dfrac{1}{6} \times 8 = \dfrac{25}{\underset{3}{6}} \times 8 = \dfrac{100}{3} = 33\dfrac{1}{3}$

10 $2\dfrac{1}{3}$ **11** (위부터) $\dfrac{1}{16}, \dfrac{1}{55}, \dfrac{1}{22}, \dfrac{1}{40}$

12 $\dfrac{15}{28}$ **13** $<$

14 $\dfrac{5}{13} \times \dfrac{2}{3}, \dfrac{5}{13} \times \dfrac{7}{9}$ 에 ○표

15 $4\dfrac{25}{28}$ **16** $\dfrac{16}{81}\,\text{m}^2$

17 ⑩ 오늘 읽은 부분은 전체의 $\dfrac{1}{9}$의 $\dfrac{1}{6}$입니다.

따라서 오늘 읽은 부분은 전체의 $\dfrac{1}{9} \times \dfrac{1}{6} = \dfrac{1}{54}$입니다. ; $\dfrac{1}{54}$

18 $1\dfrac{3}{5}\,\text{km}$ **19** $2\dfrac{1}{11}\,\text{km}$

20 $2, 3, 4, 5, 6$

42~44쪽 단원평가 4회 ⑧ 난이도
풀이는 24쪽에

01 $7, 7, 3\dfrac{1}{2}$ **02** $3, 3, 3\dfrac{1}{2}$

03 $14, 56, 6\dfrac{2}{9}$ **04** $3, 1, 6, 22$

05 $5\dfrac{1}{3}$ **06** $\dfrac{27}{28}$ **07** $3, 5, \dfrac{1}{15}$

08 $\dfrac{15}{28}$ **09** (선 잇기)

10 $2\dfrac{5}{7} \times 4 = (2+2+2+2) + \left(\dfrac{5}{7} + \dfrac{5}{7} + \dfrac{5}{7} + \dfrac{5}{7}\right)$
$= 8 + \dfrac{20}{7} = 8 + 2\dfrac{6}{7} = 10\dfrac{6}{7}$

11 ㉠

12 $10 \times 3\dfrac{1}{6} = \overset{5}{10} \times \dfrac{19}{\underset{3}{6}} = \dfrac{5 \times 19}{3} = \dfrac{95}{3} = 31\dfrac{2}{3}$

13 $\dfrac{5}{21}\,\text{m}^2$ **14** (위부터) $24\dfrac{3}{4}, 15\dfrac{3}{5}, 49\dfrac{1}{2}, 7\dfrac{4}{5}$

15 $\dfrac{7}{15}$ **16** $12\dfrac{4}{5}\,\text{L}$ **17** ㉣, ㉢, ㉠, ㉡

18 $1\dfrac{11}{15}\,\text{kg}$ **19** $8\dfrac{8}{15}$

20 ⑩ 어제 읽고 난 나머지는 책 전체의 $1 - \dfrac{1}{5} = \dfrac{4}{5}$

이므로 오늘 읽은 양은 책 전체의 $\dfrac{\overset{2}{4}}{5} \times \dfrac{\overset{1}{5}}{\underset{3}{6}} = \dfrac{2}{3}$입니

다. 따라서 어제와 오늘 읽은 양은 책 전체의

$\dfrac{1}{5} + \dfrac{2}{3} = \dfrac{3}{15} + \dfrac{10}{15} = \dfrac{13}{15}$입니다. ; $\dfrac{13}{15}$

45~47쪽 단원평가 5회 ⓒ 난이도
풀이는 24쪽에

01 $28\dfrac{1}{2}$ **02** $\dfrac{1}{6}$ **03** 16

04 $\dfrac{1}{35}$ **05** $3\dfrac{17}{36}$ **06** $>$

07 (선 잇기) **08** $11\dfrac{1}{2}$

09 (위부터) $2\dfrac{4}{5}, 3\dfrac{1}{5}, 10, 4\dfrac{1}{2}$ **10** $10\dfrac{8}{9}$

11 ㉠ **12** $\frac{6}{7}$ L **13** $26\frac{2}{3}$ cm

14 ㉢ ; ⑩ $7\frac{5}{6} \times 12 = \frac{47}{\underset{1}{6}} \times \overset{2}{12} = 94$

15 $158\frac{2}{3}$ g **16** ㉡ **17** $\frac{1}{2}$ kg

18 24000원 **19** $\frac{2}{45}$

20 ⑩ (타일 한 장의 넓이)

$= 3\frac{3}{5} \times 3\frac{3}{5} = \frac{18}{5} \times \frac{18}{5} = \frac{324}{25} = 12\frac{24}{25}$ (cm²)

(타일이 붙어 있는 부분의 넓이)

$= 12\frac{24}{25} \times 30 = \frac{325}{\underset{5}{25}} \times \overset{6}{30} = \frac{1944}{5}$

$= 388\frac{4}{5}$ (cm²) ; $388\frac{4}{5}$ cm²

48~49쪽 단계별로 연습하는 **서술형평가** 풀이는 25쪽에

01 ❶ 5, 4, 35, $8\frac{3}{4}$; $8\frac{3}{4}$ kg ❷ 재민

02 ❶ 11, 11, 121, $4\frac{21}{25}$; $4\frac{21}{25}$ cm²

❷ 17, 68, $4\frac{8}{15}$; $4\frac{8}{15}$ cm² ❸ 가, $\frac{23}{75}$ cm²

03 ❶ ⑩ $3\frac{1}{2} \times 5 = 17\frac{1}{2}$ ❷ $17\frac{1}{2}$ 컵

04 ❶ 클수록에 ○표 ❷ 큰에 ○표, 8, 9 ; 8, 9

❸ 9, 8, 72 또는 8, 9, 72

50~51쪽 풀이 과정을 직접 쓰는 **서술형평가** 풀이는 26쪽에

01 ⑩ (미라가 사용한 철사의 길이) $= \overset{2}{12} \times \frac{5}{\underset{1}{6}} = 10$ (m)

따라서 6 m < 10 m이므로 철사를 더 많이 사용한 사람은 미라입니다. ; 미라

02 ⑩ (가의 넓이) $= 2\frac{2}{3} \times 3\frac{1}{4} = \frac{\overset{2}{8}}{3} \times \frac{13}{\underset{1}{4}} = \frac{26}{3}$

$= 8\frac{2}{3}$ (cm²)

(나의 넓이) $= 1\frac{3}{7} \times 3\frac{5}{6} = \frac{10}{7} \times \frac{23}{\underset{3}{6}} = \frac{115}{21}$

$= 5\frac{10}{21}$ (cm²)

따라서 $8\frac{2}{3}$ cm² > $5\frac{10}{21}$ cm²이므로 가의 넓이가

$8\frac{2}{3} - 5\frac{10}{21} = 8\frac{14}{21} - 5\frac{10}{21} = 3\frac{4}{21}$ (cm²) 더 넓습

니다. ; 가, $3\frac{4}{21}$ cm²

03 ⑩ $4\frac{2}{7} \times 6 = \frac{30}{7} \times 6 = \frac{180}{7} = 25\frac{5}{7}$ (m)이므로

가래떡을 $25\frac{5}{7}$ m까지 뽑을 수 있습니다. ; $25\frac{5}{7}$ m

04 ⑩ 계산 결과가 가장 크게 되려면 가장 작은 두 수

를 분모로 하면 되므로 $\frac{1}{2} \times \frac{1}{3} = \frac{1}{6}$입니다. ; $\frac{1}{6}$

05 ⑩ 어제 읽은 양은 책 한 권의 $\frac{1}{4}$이고 어제 읽고 난

나머지는 책 한 권의 $1 - \frac{1}{4} = \frac{3}{4}$이므로 오늘 읽은 양은

책 한 권의 $\frac{\overset{1}{3}}{4} \times \frac{5}{\underset{2}{6}} = \frac{5}{8}$입니다.

따라서 오늘 읽은 쪽수는 $\overset{30}{240} \times \frac{5}{\underset{1}{8}} = 150$(쪽)입니

다. ; 150쪽

52쪽 밀크티 성취도평가 **오답 베스트 5** 풀이는 26쪽에

01 나

02 $\frac{1}{18}$

03 2 cm²

04 $\frac{1}{14}$

05 40 m²

3 합동과 대칭

55쪽 쪽지시험 1회
풀이는 27쪽에

01 다
02 나
03 나
04
05 (예)
06 ㄹ, ㅁ, ㅂ
07 ㄹㅁ, ㅁㅂ, ㅂㄹ
08 ㄹㅁㅂ, ㅁㅂㄹ, ㅂㄹㅁ
09 ㅂㅁ
10 ㅂㄹㅁ

56쪽 쪽지시험 2회
풀이는 27쪽에

01 (○)( )
02 ( )(○)
03 ( )(○)
04 (○)( )
05
06
07 점 ㅁ, 변 ㄱㅁ, 각 ㅁㄹㅂ
08 점 ㅂ, 변 ㄹㅁ, 각 ㅁㅂㄱ
09
10

57~59쪽 단원평가 1회 A 난이도
풀이는 27쪽에

01 나
02 선대칭도형
03 대응변, 대응각
04 ( )( )(○)
05 ④
06 ×
07 ○
08 바
09 (예)
10
11 점 ㅂ
12 변 ㅂㅁ
13 4 cm
14 115°
15 변 ㅁㅂ
16 (예)

17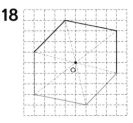
18
19 ②
20 35

60~62쪽 단원평가 2회 A 난이도
풀이는 28쪽에

01 합동
02 ㉠
03
04 5쌍
05
06 (예)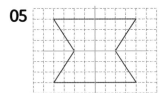
07 ⑤
08 7 cm
09 40°
10 ④
11 90°
12 각 ㅅㅂㅁ
13
14 8, 55
15 4개
16 선분 ㄹㅇ
17 110°
18 승민
19 나, 마, 바
20 100°

63~65쪽 단원평가 3회 B 난이도
풀이는 28쪽에

01 (×)(○)
02 다
03 변 ㄱㄴ
04 (예)
05 5 cm, 7 cm
06 80°
07 70°
08

09 ② **10** 5개 **11** 가, 마, 바

12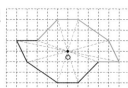

13 ④, ⑤

14 BOOK **15** (위부터) 8, 5 **16** 4 cm

17 각 ㅂㅁㄹ, 53° **18** 90° **19** 35°

20 ⑩ 사각형 ㄱㄴㄷㄹ은 직사각형이므로

(선분 ㄴㄹ)=(선분 ㄱㄷ)=15 cm입니다.

⇨ (삼각형 ㄹㄴㄷ의 둘레)

=(선분 ㄹㄴ)+(변 ㄴㄷ)+(변 ㄷㄹ)

=15+12+9=36 (cm) ; 36 cm

66~68쪽 단원평가 4회 **B** 난이도 풀이는 29쪽에

01 모양, 크기 **02** 나, 라 **03** 변 ㄷㄴ

04 각 ㅁㅂㄱ **05** ⑩

06 ② **07** 각 ㅁㅂㅅ **08** 3 cm

09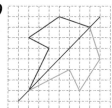

10 10 cm

11 24 cm **12**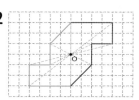

13 A, B, D, H, I **14** H, I, N

15 우진 **16** 다 **17** 4쌍

18 36 cm **19** 116

20 ⑩ 합동인 두 도형에서 대응각의 크기는 같으므로

(각 ㄹㄱㄷ)=(각 ㄹㄱㄴ)=65°입니다.

삼각형의 세 각의 크기의 합은 180°이므로

(각 ㄱㄷㄹ)=180°−65°−90°=25°입니다.

; 25°

69~71쪽 단원평가 5회 **C** 난이도 풀이는 30쪽에

01 가와 마, 나와 사

02 다르므로에 ○표, 합동이 아닙니다에 ○표

03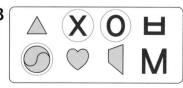

04   **05**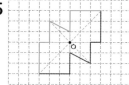

06 ㉠, ㉢ **07** ㉠, ㉡, ㉣ **08** 95°

09 8 cm **10** 5 cm **11** ㅁ, ㅇ, ㅍ

12 ○ **13** ㉡ **14** 다

15 6 cm **16** 40°

17 ⑩ 각 ㄱㄷㄹ의 대응각은 각 ㄱㄴㄹ이므로

(각 ㄱㄷㄹ)=60°입니다.

(각 ㄴㄱㄷ)=180°−60°−60°=60°이므로

삼각형 ㄱㄴㄷ은 정삼각형입니다.

⇨ (삼각형 ㄱㄴㄷ의 둘레)

=6×3=18 (cm) ; 18 cm

18 16 cm **19** 30°

20 ⑩ (주어진 도형의 넓이)=10×8÷2=40 (cm²)

완성할 점대칭도형 전체의 넓이는

주어진 도형의 넓이의 2배이므로

(점대칭도형 전체의 넓이)

=40×2=80 (cm²)입니다. ; 80 cm²

72~73쪽 단계별로 연습하는 서술형평가 풀이는 31쪽에

01 ❶ 같습니다에 ○표

❷ 각 ㄹㅂㅁ, 각 ㅂㅁㄹ, 각 ㅁㄹㅂ ❸ 60°

02 ❶ ㉠, ㉢, ㉣ ❷ ㉡, ㉢ ❸ ㉢

03 ❶ 같습니다에 ○표 ❷ ㄴㄹ, 8 ; 8 cm

❸ 15 cm

04 ❶ 4 ; 4 cm ❷ 4 cm ❸ 58 cm

01 예 (각 ㄱㅁㄴ)=180°−65°−90°=25°

각 ㄹㅁㄷ의 대응각은 각 ㅁㄱㄴ이므로

(각 ㄹㅁㄷ)=(각 ㅁㄱㄴ)=65°입니다.

따라서 (각 ㄱㅁㄹ)=180°−25°−65°=90°입니다. ; 90°

02 예 선대칭도형인 모양은 ㉡, ㉢, ㉣이고 그중에서 점대칭도형이 되는 모양을 찾으면 ㉢입니다. ; ㉢

03 예 선대칭도형에서 대응변의 길이는 같으므로

(변 ㄱㄴ)=(변 ㄱㄷ)이고

(선분 ㄷㄹ)=(선분 ㄴㄹ)=5 cm입니다.

따라서 (변 ㄱㄷ)=(34−5−5)÷2=12 (cm)입니다. ; 12 cm

04 예 (선분 ㄷㅇ)=(선분 ㅂㅇ)=2 cm이므로

(변 ㄴㄷ)=11−2−2=7 (cm)입니다.

(변 ㄱㄴ)=(변 ㄹㅁ)=5 cm,

(변 ㄷㄹ)=(변 ㅂㄱ)=9 cm,

(변 ㅂㅁ)=(변 ㄷㄴ)=7 cm이므로

(점대칭도형의 둘레)

=5+7+9+5+7+9=42 (cm)입니다. ; 42 cm

01 ④

02 ③

03 4 cm

04 ④

05 75°

---

4 소수의 곱셈

01 예 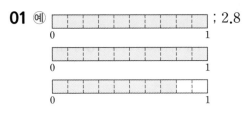 ; 2.8

02 8, 0.8, 0.8, 2.8 **03** 0.5, 1.5

04 5, 5, 15, 1.5 **05** 5, 3, 15, 1.5

06 1.48, 5.92 **07** 148, 148, 592, 5.92

08 148, 592, 5.92 **09** 6.65

10 51.6

01 5, 2, 7 **02** 2, 2, 6, 0.6 **03** 6, 0.6

04 28, 28, 448, 44.8 **05** 448, 44.8

06 $22 \times 0.8 = 22 \times \dfrac{8}{10} = \dfrac{22 \times 8}{10} = \dfrac{176}{10} = 17.6$

07 $8 \times 2.09 = 8 \times \dfrac{209}{100} = \dfrac{8 \times 209}{100} = \dfrac{1672}{100} = 16.72$

08 7.2 **09** 2.4 **10** 153.6

01 0.56 **02** 26, 7, 182, 0.182

03 182, 0.182 **04** 28, 28, 336, 3.36

05 336, 3.36

06 $0.9 \times 0.47 = \dfrac{9}{10} \times \dfrac{47}{100} = \dfrac{423}{1000} = 0.423$

07 $3.56 \times 1.5 = \dfrac{356}{100} \times \dfrac{15}{10} = \dfrac{5340}{1000} = 5.34$

08 1.536 **09** 15.36 **10** 0.1536

01 3, 18, 0.18 **02** 3, 18, 0.018

03 8.9, 89, 890 **04** 413, 41.3, 4.13

05 0.32, 0.032, 0.0032 **06** 13.44

07 0.1344 **08** 13440 **09** 0.14

10 8260

01 5.1　　　　**02** 0.36

03 34, 34, 306, 3.06　　**04** 156, 3588, 3.588

05 8, 12, 96, 9.6

06 $2 \times 0.7 = 2 \times \dfrac{7}{10} = \dfrac{2 \times 7}{10} = \dfrac{14}{10} = 1.4$

07 $4 \times 1.8 = 4 \times \dfrac{18}{10} = \dfrac{4 \times 18}{10} = \dfrac{72}{10} = 7.2$

08 0.468　　　　**09** 46.8

10 7.2　　　　**11** 2.38

12 $25 \times 0.9 = 25 \times \dfrac{9}{10} = \dfrac{225}{10} = 22.5$

13 8.5, 85, 850　**14** 5.04　　**15** 0.72

16 >　　　**17** 1000　　**18** ㉢

19 0.8 L　　**20** 50.22 cm²

01 ; 3.5

02 ㉮ 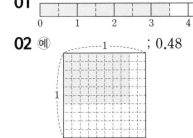 ; 0.48

03 5, 35, 3.5　　　　**04** 18, 54, 0.54

05 21, 105, 10.5　　**06** ㉺

07 1.68　　　　**08** 3.65

09 (위부터) 70.8, 7.08, 0.708

10 $0.8 \times 0.74 = \dfrac{8}{10} \times \dfrac{74}{100} = \dfrac{592}{1000} = 0.592$

11 ㉢　　　　**12** 102.85, 10.285

13 =　　**14** 　**15** 0.001

16 ㉢　　**17** 36 kg　　**18** 4.55 L

19 6.76 cm²　　**20** 3 L

01 2.5　　　　**02** 7, 63, 0.63

03 (위부터) 63, 100, 0.63

04 ㉠　　　　**05** 21.6

06 1.22　　　　**07** 40, 4, 0.4, 0.04

08 ⦁⨯⦁　　　　**09** 23, 230, 0.23

10 25.48, 12.74　　**11** ①, ⑤

12 40.8, 4.08, 0.408　　**13** >

14 예 $\dfrac{180}{10}$ 은 18인데 1.8로 잘못 나타냈습니다.

; $60 \times 0.3 = 60 \times \dfrac{3}{10} = \dfrac{60 \times 3}{10} = \dfrac{180}{10} = 18$

15 58.5, 0.1　**16** 7.5 km　　**17** 8.4 kg

18 ①　　**19** 9시간　　**20** 34.58 kg

01 0.54　　**02** 100, 405, 4.05

03 10, 3496, 34.96　　　　**04** 0.072

05 0.2759　　**06** 26.6　　**07** ④

08 414.7　　**09** 100　　**10** <

11 ㉢

12 예 결과는 40 정도가 됩니다.

; 예 결과는 4 정도가 됩니다.

13 91.2 cm²　　**14** ④　　　**15** 5.166

16 예 (한 달 동안 아낄 수 있는 용돈)

= (한 달 용돈) × 0.27 = 20000 × 0.27 = 5400(원)

; 5400원

17 10　　　　**18** 17.4 km　　**19** ㉡

20 57.96 kg

01 85　　　　**02** 13.16

03 $0.3 \times 0.9 = \dfrac{3}{10} \times \dfrac{9}{10} = \dfrac{27}{100} = 0.27$

04 27, 0.27　　**05** ㉢　　　**06** ⦁⨯⦁

07 1.21 **08** ㉡

09 ㉠ 정삼각형은 세 변의 길이가 모두 같습니다.
따라서 정삼각형의 둘레는 $5.6 \times 3 = 16.8$ (cm)입니다. ; 16.8 cm

10 14.62 kg **11** 140.8 m² **12** 5시간

13 16725원 **14** ㉣ **15** 21.8 km

16 5개 **17** 8.5, 0.2 또는 0.85, 2

18 90.24 cm **19** 203.84 cm²

20 ㉠ (1시간 동안 가는데 필요한 휘발유의 양)
$= 0.18 \times 65 = 11.7$ (L)
45분$= \dfrac{45}{60}$시간$= \dfrac{3}{4}$시간$= 0.75$시간이므로
1시간 45분은 1.75시간입니다.
(1시간 45분 동안 가는 데 필요한 휘발유의 양)
$= 11.7 \times 1.75 = 20.475$ (L) ; 20.475 L

98~99쪽 단계별로 연습하는 **서술형평가** 풀이는 36쪽에

01 ❶ 4800 ❷ 있습니다에 ○표, 작기에 ○표

02 ❶ 0.4 ❷ 0.004 ❸ 100, 100 ; 100배

03 ❶ 4.1, 15, 15, 4.1, 61.5 ; 61.5 ❷ 252.15

04 ❶ 0.23, 2, 0.46 ; 0.46 L
❷ 0.46, 1.04 ; 1.04 L ❸ 4.16 L

100~101쪽 풀이 과정을 직접 쓰는 **서술형평가** 풀이는 37쪽에

01 ㉠ 아몬드 1 g당 가격을 16.8원보다 적은 15원으로 어림하면 $15 \times 700 = 10500$(원)입니다.
따라서 10500은 10000보다 크기 때문에 어머니가 가진 돈으로 아몬드를 살 수 없습니다.
; 살 수 없습니다.

02 ㉠ $68.5 \times ㉠ = 20.55$에서
(소수 한 자리 수)$\times ㉠ =$(소수 두 자리 수)이므로
㉠은 소수 한 자리 수입니다. ⇨ ㉠$= 0.3$
$6.85 \times ㉡ = 0.2055$에서
(소수 두 자리 수)$\times ㉡ =$(소수 네 자리 수)이므로
㉡은 소수 두 자리 수입니다. ⇨ ㉡$= 0.03$
따라서 $0.03 \times 10 = 0.3$이므로 ㉠은 ㉡의 10배입니다. ; 10배

03 ㉠ 소리는 1초에 0.34 km를 가므로 5.6초 동안에는 $0.34 \times 5.6 = 1.904$ (km)를 갑니다.
따라서 소리를 들은 곳은 번개 친 곳에서 1.904 km 떨어져 있습니다. ; 1.904 km

04 ㉠ 어떤 수를 □라 하면 □$\div 1.4 = 6$이므로
□$= 6 \times 1.4 = 8.4$입니다.
따라서 바르게 계산하면 $8.4 \times 1.4 = 11.76$입니다.
; 11.76

05 ㉠ 가 수도꼭지에서 30초에 0.35 L의 물이 나오므로 1분 동안 받는 물은 $0.35 \times 2 = 0.7$ (L)입니다.
따라서 가와 나 두 수도꼭지를 동시에 틀면 1분 동안 받는 물은 $0.7 + 0.15 = 0.85$ (L)이므로 6분 동안 받는 물은 모두 $0.85 \times 6 = 5.1$ (L)입니다.
; 5.1 L

102쪽 밀크티 성취도평가 **오답 베스트 5** 풀이는 37쪽에

01 ④

02 0.1, 100

03 31.5

04 ㉢

05 23.994

---

5 **직육면체**

105쪽 **쪽지시험** 1회 풀이는 38쪽에

01 6, 직육면체 **02** 6, 정육면체

03 (왼쪽부터) 모서리, 꼭짓점, 면

04 나, 다, 라, 바 **05** 라

06 **07**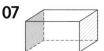

08 3쌍

09 면 ㄱㄴㄷㄹ, 면 ㄴㅂㅅㄷ, 면 ㄹㄷㅅㅇ

10 수직에 ○표

106쪽 쪽지시험 2회   풀이는 38쪽에

01 실선에 ◯표, 점선에 ◯표

02 전개도   **03** 나

04   **05**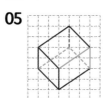

06 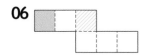   **07**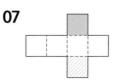

08 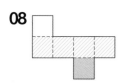   **09**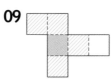

10 3, 없고에 ◯표, 같습니다에 ◯표

107~109쪽 단원평가 1회 Ⓐ 난이도   풀이는 38쪽에

01 다   **02** (왼쪽부터) 모서리, 꼭짓점, 면

03 정육면체   **04** ㉡

05 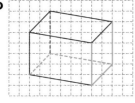   **06** 전개도

07 3   **08** 6, 12, 8   **09** ④

10 4, 4   **11** 면 ㄷㅅㅇㄹ   **12** 3쌍

13 면 바   **14** 면 나, 면 다, 면 라, 면 마

15 3개   **16** 4개   **17** ㉡

18 면 라   **19** 16 cm

20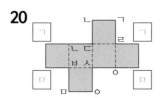

110~112쪽 단원평가 2회 Ⓐ 난이도   풀이는 39쪽에

01 6, 직육면체   **02** 실선, 점선

03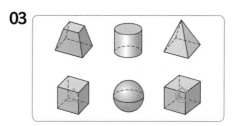

04 ㉮ 정사각형   **05** ( )( )(◯)

06 3, 9, 7   **07** 7   **08** ( )(×)( )

09 ㉮   **10**

11 면 ㅁㅂㅅㅇ

12 면 ㄱㅁㅇㄹ, 면 ㄱㄴㅂㅁ, 면 ㅁㅂㅅㅇ

13 4개   **14**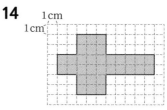

15 3쌍   **16** ㉮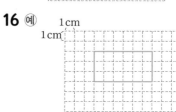

17 ⑤   **18** 96 cm

19 면 ㅁㅂㅅㅇ, 면 ㅌㅁㅇㅋ, 면 ㅋㅇㅈㅊ

20 20 cm

113~115쪽 단원평가 3회 Ⓑ 난이도   풀이는 39쪽에

01 ①, ④   **02** ㉣

03 (왼쪽부터) 4, 5   **04** 희진

05   **06** ㉡   **07** ③

08 면 ㄹㄱㄴㄷ, 면 ㄱㅁㅂㄴ, 면 ㅁㅂㅅㅇ, 면 ㄹㅇㅅㄷ

09 ㉮ (생략)

10 면 ㅁㅂㅅㅇ, 면 ㄱㅁㅂㄴ, 면 ㄱㅁㅇㄹ

11 ⑤ **12** 면 라 **13** 선분 ㄹㄷ

14 면 가, 면 나, 면 라, 면 바 **15** 재희

16 면 바 **17** 18 cm

18 예

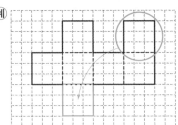

19

20 예 정육면체의 모서리는 12개이고 길이가 모두 같습니다. 따라서 한 모서리의 길이는 60÷12＝5 (cm)입니다. ; 5 cm

116~118쪽 단원평가 4회 **B** 난이도 풀이는 40쪽에

01 예 정사각형 **02** 90°

03 6, 12, 8 ; 6, 12, 8 **04** (왼쪽부터) 2, 5, 8

05 ④ **06** **07** 점 ㅁ

08

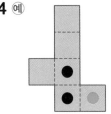

09 4개 **10** 5, 2

11 예 직육면체는 6개의 직사각형으로 이루어져 있는데 주어진 도형은 2개의 사다리꼴과 4개의 직사각형으로 이루어져 있으므로 직육면체가 아닙니다.

12 12 cm

13 면 ㄱㄴㄷㅎ

14 예

15 60 cm

16 면 나, 면 바 **17** ㄷ, ㄹ **18** 64.5 cm

19

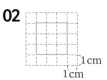

20 12쌍

119~121쪽 단원평가 5회 **C** 난이도 풀이는 41쪽에

01 3개 **02**

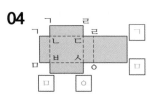

03

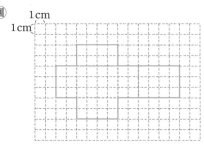

04

05 ②

06 ㄴ ; 예 보이지 않는 모서리는 3개입니다.

07 3가지 **08** 6개 **09** 11

10 예

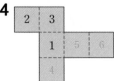

11 ㄷ **12** 9 cm **13** 68 cm

14

15 80 cm

16 11 cm **17** 5 cm **18** 다

19 예 2와 마주 보는 면에 있는 눈의 수는 5입니다. 따라서 2와 5를 제외한 눈의 수를 모두 더합니다. ⇨ 1＋3＋4＋6＝14 ; 14

20

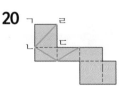

01 ❶ 3 ; 없고에 ○표, 같습니다에 ○표   ❷ 선분 ㄹㄷ

❸ ⓔ 모양과 크기가 같은 면이 2쌍이고 겹치는 면
이 있으며 접었을 때 만나는 모서리의 길이가 다
르므로 직육면체의 전개도가 될 수 없습니다.

02 ❶ 점선에 ○표, 3 ; 3개   ❷ 같습니다에 ○표

❸ 12 cm

03 ❶ 4, 3   ❷ (왼쪽부터) 6, 10   ❸ 80 cm

04 ❶ 12개   ❷ 96 cm   ❸ 96, 12, 8 ; 8 cm

01 ⓔ 서로 평행한 면은 모양과 크기가 같아야 하는데
면 ㄱㄴㅍㅎ과 평행한 면 ㅂㅅㅇㅈ은 모양과 크기
가 다르므로 직육면체의 전개도가 될 수 없습니다.

02 ⓔ 보이지 않는 모서리는 3개이고 모서리의 길이는
모두 같습니다.
따라서 한 모서리의 길이는 48÷3=16 (cm)입니
다. ; 16 cm

03 ⓔ 직육면체는 길이가 같은 모서
리가 4개씩 3쌍이 있습니다.
만들어지는 직육면체는 오른쪽과
같으므로 모든 모서리 길이의 합
은 (3+7+8)×4=72 (cm)입니다. ; 72 cm

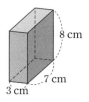

8 cm
7 cm
3 cm

04 ⓔ (직육면체의 모든 모서리 길이의 합)
=(6+9+3)×4=18×4=72 (cm)
정육면체는 12개의 모서리의 길이가 모두 같습니
다. 따라서 혜은이가 만들 정육면체의 한 모서리의
길이는 72÷12=6 (cm)입니다. ; 6 cm

01 ③

02 ㉢

03 ㉠

04 ㉡

05 60 cm

---

01 32   **02** 4   **03** 32, 4, 8

04 평균   **05** ( )   **06** 7
( )
(○)

07 7   **08** 5, 30, 6

09 0, 5, 20, 4   **10** 8, 4, 24, 6

01 38, 40, 38   **02** 40, 4, 152, 38

03 88   **04** 87   **05** 승민

06 12   **07** 15   **08** 배

09 5, 2000   **10** 450

01 불가능하다, 확실하다   **02** 반반이다에 ○표

03 확실하다에 ○표   **04** 불가능하다에 ○표

05 불가능하다

06 불가능하다: 영선, ~ 아닐 것 같다: 희진,
확실하다: 영민

07 영민, 희진, 영선   **08** 세형

09 민찬   **10** 세형, 건우, 민찬

01 0   **02** 1   **03** $\frac{1}{2}$

04 0   **05** 1

06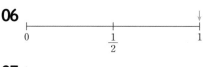

07

08

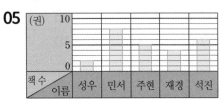

09 확실하다   **10** 0

133~135쪽 단원평가 1회 Ⓐ 난이도
풀이는 44쪽에

01 4명   **02** 20개   **03** 예 5개

04 ㉢   **05**

06 5칸   **07** 5권

08 불가능하다에 ○표   **09** 33, 180

10 36명   **11** 확실하다   **12** 45살, 51살

13 2동   **14** 적습니다.   **15** 재철

16 0   **17** 83점   **18** 48명, 50명

19 6학년   **20** 806

136~138쪽 단원평가 2회 Ⓐ 난이도
풀이는 44쪽에

01 평균   **02**

03 3개   **04** 3 L   **05** 4명

06 48 kg   **07** 12 kg

08 (왼쪽부터) ~아닐 것 같다, 확실하다

09 5일   **10** 20 ℃   **11** 54 kg

12 91점   **13** 낮습니다.   **14** $\frac{1}{2}$

15 2120 kg   **16** 530 kg   **17** ㉡

18 ㉠   **19** 1   **20** 92점

139~141쪽 단원평가 3회 Ⓑ 난이도
풀이는 45쪽에

01 13, 13, 13, 13, 13, 13   **02** 13

03 $\frac{1}{2}\left(=\frac{2}{4}\right)$

04

05 5개   **06** 5개   **07** 50 kg

08 11, 15, 13   **09** 13, 18

10 18살   **11** 52쪽   **12** 80점

13 90, 360   **14** 예 90, 95, 90, 85, 360

15    **16** 나, 다, 가   **17** $\frac{1}{2}\left(=\frac{3}{6}\right)$

18 33 m   **19** 3번

20 예 (네 명의 점수의 합)=94×4=376(점)

     ⇨ (은채의 점수)=376−(96+87+95)

              =376−278=98(점) ; 98점

142~144쪽 단원평가 4회 Ⓑ 난이도
풀이는 46쪽에

01 해수   **02** 30개   **03** 반반이다

04 $\frac{1}{2}\left(=\frac{2}{4}\right)$ **05** 61권   **06** 적습니다.

07 ㉡, ㉢, ㉠

08

09 11160타   **10** 10 m², 9 m²

11 지훈이네 학교   **12** 연아

13 3시간, 4시간   **14** 선영이네 모둠

15 26개   **16** 27개   **17** 911400원

18 가   **19** $\frac{1}{2}$

20 예 (친구들의 키의 평균)

     =(147+152+142+154+150)÷5=745÷5

     =149 (cm)

따라서 키가 149 cm보다 큰 사람은 152 cm인 소민, 154 cm인 승진, 150 cm인 수경으로 모두 3명입니다. ; 3명

145~147쪽 단원평가 5회 Ⓒ 난이도
풀이는 46쪽에

01 83명   **02** 목요일   **03** 4500원

04 적습니다에 ○표   **05** 1600개

06 25명   **07** 64개   **08** 510초

09 17초

10 예 평균을 50점으로 예상한 후 (55, 55, 40), (50, 50)으로 수를 짝 지어 자료의 값을 고르게 하면 얻은 점수의 평균은 50점입니다.

예 $(55+55+50+40+50)÷5=250÷5$
$=50(점)$

11 6개   **12** 24개   **13** 4개

14 ㉡   **15** 오후 5시 55분

16 반반이다 ; $\dfrac{1}{2}\left(=\dfrac{3}{6}\right)$ **17** 예

18 보라색, 분홍색, 파란색   **19** 34번

20 예 (연경이가 하루에 읽은 평균 쪽수)
$=546÷7=78(쪽)$,
(성준이가 하루에 읽은 평균 쪽수)
$=304÷4=76(쪽)$
따라서 하루에 읽은 평균 쪽수는 연경이가
$78-76=2(쪽)$ 더 많습니다. ; 연경, 2쪽

02 예 (희정이네 가족의 키의 평균)
$=(176+154+138+132)÷4=600÷4$
$=150\,(cm)$
(규홍이네 가족의 키의 평균)
$=(182+154+146+137+126)÷5=745÷5$
$=149\,(cm)$
따라서 $150\,cm>149\,cm$이므로 희정이네 가족의 키의 평균이 더 큽니다. ; 희정이네 가족

03 예 (기록의 합)$=98×5=490(회)$
(희열이의 기록)$=490-(94+90+104+86)$
$=116(회)$
따라서 기록이 가장 좋은 학생은 희열이고 기록은 116회입니다. ; 116회

04 예 가 상자에서 꺼낸 카드가 ♣일 가능성은 '반반이다'이고 나 상자에서 꺼낸 카드가 ♣일 가능성은 '불가능하다'이므로 꺼낸 카드가 ♣일 가능성이 더 높은 상자는 가 상자입니다. ; 가 상자

148~149쪽 단계별로 연습하는 **서술형평가** 풀이는 47쪽에

01 ❶ 128명   ❷ 4개   ❸ 32명

02 ❶ 47, 4, 168, 42 ; 42 kg
❷ 36, 44, 40, 5, 205, 41 ; 41 kg
❸ 준하네 모둠

03 ❶ 35, 175 ; 175명   ❷ 34명

04 ❶ 확실하다 ; 확실하다   ❷ 반반이다 ; 반반이다
❸ 가 상자

152쪽 밀크티 성취도평가 **오답 베스트 5** 풀이는 48쪽에

01 3개

02 8개

03 ㉡, ㉢, ㉠

04 25명

05 12톤

150~151쪽 풀이 과정을 직접 쓰는 **서술형평가** 풀이는 48쪽에

01 예 $(20+30+25+40+35)÷5=150÷5$
$=30(쪽)$이므로 하루에 읽은 독서량의 평균은 30쪽입니다. ; 30쪽

정답 및 풀이

3쪽   쪽지시험 1회

01 151.0 cm, 146.0 cm
02 46.7 kg, 51.0 kg, 50.8 kg
03 153회, 117회   **04** 17권, 15권
05 15, 16, 17에 ○표, 13, 14, 15에 △표
06 27, 28에 ○표, 24, 25에 △표

07

08

09

10

01 146 cm와 같거나 큰 키를 찾습니다.
02 51 kg과 같거나 가벼운 몸무게를 찾습니다.
03 115회보다 많은 횟수를 찾습니다.
04 20권보다 적은 책 수를 찾습니다.
07 20은 점 ●을 사용하고 오른쪽으로 선을 그립니다.
08 17은 점 ●을 사용하고 왼쪽으로 선을 그립니다.
09 34는 점 ○을 사용하고 오른쪽으로 선을 그립니다.
10 51은 점 ○을 사용하고 왼쪽으로 선을 그립니다.

4쪽   쪽지시험 2회

01 8, 9, 10에 ○표   **02** 16, 17, 18에 ○표
03 28, 29, 30에 ○표

04

05

06 250에 ○표   **07** 600에 ○표
08 3500에 ○표 **09** 42   **10** 65.1

01 8과 같거나 크고 10과 같거나 작은 수에 ○표 합니다.
04 34는 점 ●을, 36은 점 ○을 사용하고 두 점 사이를 선으로 잇습니다.

05 41은 점 ○을, 44는 점 ●을 사용하고 두 점 사이를 선으로 잇습니다.

06 $243 \underset{10}{} \rightarrow 250$ **07** $521 \underset{100}{} \rightarrow 600$

08 백의 자리 아래 수인 65를 100으로 보고 3500으로 나타낼 수 있습니다.

$3465 \underset{100}{} \rightarrow 3500$

09 $41.5 \underset{1}{} \rightarrow 42$ **10** $65.08 \underset{0.1}{} \rightarrow 65.1$

5쪽   쪽지시험 3회

01 360에 ○표 **02** 400에 ○표 **03** 8100에 ○표
04 46.1   **05** 9.23   **06** 1350, 1400
07 1300, 1000   **08** 4470, 4000
09 24 cm   **10** 37.1 cm

01 $361 \underset{0}{} \rightarrow 360$ **02** $489 \underset{0}{} \rightarrow 400$
04 $46.18 \underset{0}{} \rightarrow 46.1$ **05** $9.234 \underset{0}{} \rightarrow 9.23$
06 $1351 \underset{버림}{} \rightarrow 1350$, $1351 \underset{올림}{} \rightarrow 1400$
09 $23.5 \underset{올림}{} cm \rightarrow 24 cm$ **10** $37.12 \underset{버림}{} cm \rightarrow 37.1 cm$

6쪽   쪽지시험 4회

01 올림에 ○표 **02** 160   **03** 16번
04 버림에 ○표 **05** 800   **06** 8개
07 163, 158, 159   **08** 올림에 ○표
09 버림에 ○표   **10** 버림에 ○표

01 케이블카는 10명보다 많이 탈 수 없으므로 남은 등산객도 타려면 올림을 이용합니다.
02 $154 \underset{10}{} \rightarrow 160$
03 등산객 수를 160명이라고 생각하면 최소 16번 운행해야 합니다.
04 끈이 100 cm가 안 되면 상자를 포장할 수 없으므로 버림을 이용합니다.

05 $8\underline{5}2 \rightarrow 800$
$\ \ \ \ \ \ \ \ \ 0$

06 포장할 수 있는 끈의 길이를 800 cm라고 생각하면 포장할 수 있는 상자는 최대 8개입니다.

08 낱개로 살 수 없으므로 올림을 이용합니다.

09 꽃이 10송이가 안 되면 꽃다발을 만들 수 없으므로 버림을 이용합니다.

7~9쪽 **단원평가 1회** A 난이도

01 이상 **02** 미만
03 39, 40, 41, 42에 ○표
04 14, 15에 ○표 **05** 540
06 2400 **07** ⑤
08 희준, 민기, 명철
09 146.0 cm, 152.0 cm, 147.3 cm
10 35 초과인 수
11 (위부터) 240, 300 ; 4860, 4900
12 (위부터) 160, 100 ; 5710, 5700
13 51 **14** 28 **15** 5000명
16

$$\underset{10\ \ 20\ \ 30\ \ 40\ \ 50\ \ 60\ \ 70\ \ 80\ \ 90}{\longmapsto}$$

17 ①, ⑤ **18** 버림에 ○표
19 4개 **20** 8대

---

09 키가 146 cm 이상인 학생의 키는 키가 146 cm와 같거나 큰 학생입니다.

10 35보다 큰 수이므로 35 초과인 수입니다.

11 $23\underline{5} \rightarrow 240$, $2\underline{3}5 \rightarrow 300$
$485\underline{7} \rightarrow 4860$, $48\underline{5}7 \rightarrow 4900$

12 $1\underline{6}9 \rightarrow 160$, $\underline{1}69 \rightarrow 100$
$571\underline{8} \rightarrow 5710$, $57\underline{1}8 \rightarrow 5700$

13 44 초과인 수는 44보다 큰 수입니다.

14 28 이상인 수: ㉘, 44, 51, 35
35 미만인 수: ㉘, 25

15 $4926 \rightarrow 5000$
올림

16 20은 점 ●을, 70은 점 ○을 사용하고 두 점 사이를 선으로 잇습니다.

---

17 수직선에 나타낸 수의 범위는 28 초과 31 이하이므로 28보다 크고 31과 같거나 작은 수입니다.

18 끈이 100 cm가 안 되면 바구니를 만들 수 없으므로 버림을 이용합니다.

19 430을 버림하여 백의 자리까지 나타내면 400이므로 사탕 바구니를 만들 수 있는 끈의 길이를 400 cm라고 생각하면 사탕 바구니를 최대 4개까지 만들 수 있습니다.

20 723을 올림하여 백의 자리까지 나타내면 800이므로 트럭은 최소 8대가 필요합니다.

10~12쪽 **단원평가 2회** A 난이도

01 ① **02** 28, 29, 30, 31 **03** 8900
04 85000 **05** 예슬, 사랑 **06** 28권, 31권
07 ③ **08** 유경, 수철, 보람
09 38.5 kg, 40.0 kg, 34.6 kg
10 13 이상 17 미만인 수
11 2, 5에 ○표, 19, 25에 △표 **12** 유리
13

$$\underset{9\ \ 10\ \ 11\ \ 12\ \ 13\ \ 14\ \ 15\ \ 16}{\longmapsto}$$

14

$$\underset{24\ \ 25\ \ 26\ \ 27\ \ 28\ \ 29\ \ 30\ \ 31}{\longmapsto}$$

15 ④ **16** 1760, 1800, 2000
17 4 cm **18** 올림에 ○표
19 16개 **20** 16000원

---

07 ① 8 초과인 수 ② 8 이하인 수 ③ 8 미만인 수
④ 8 이상인 수 ⑤ 7 초과 9 미만인 수

10 13과 같거나 크고 17보다 작은 수이므로 13 이상 17 미만인 수입니다.

12 유리: 32는 29보다 큰 수이므로 29 초과인 수입니다.
효주: 25 미만인 수에 25는 포함되지 않으므로 25는 25 미만인 수가 아닙니다.

15 ① $256\underline{0} \rightarrow 2560$ ② $375\underline{1} \rightarrow 3760$
$\ \ \ \ \ 0$ $\ \ \ \ \ \ \ \ \ \ \ 10$
③ $956\underline{8} \rightarrow 9570$ ④ $758\underline{2} \rightarrow 7590$
$\ \ \ \ \ 10$ $\ \ \ \ \ \ \ \ \ \ \ 10$
⑤ $438\underline{7} \rightarrow 4390$
$\ \ \ \ \ 10$

16 1758 → 1760, 1758 → 1800, 1758 → 2000
　　　올림　　　　　올림　　　　　올림

17 USB의 길이는 3.6 cm이므로 반올림하여 일의 자리까지 나타내면 4 cm입니다.

18 남은 귤이 10개보다 적어도 봉지가 한 개 더 필요하므로 올림을 이용합니다.

19 153을 올림하여 십의 자리까지 나타내면 160이므로 봉지에 담아야 하는 귤의 수를 160개라고 생각하면 필요한 봉지는 최소 16개입니다.

20 책값보다 적게 내면 안 되므로 올림을 이용합니다. 15800을 올림하여 천의 자리까지 나타내면 16000이므로 최소 16000원을 내야 합니다.

13~15쪽 단원평가 3회 Ⓑ 난이도

01 4000　　**02** 세윤　　**03** 15, 17

04 ④　　**05** 38, 40, 46　　**06** ①, ④

07 ①　　　　　**08** 2400, =, 2400

09 82, 75에 ○표　　**10** 정민, 지민

11

12 ㉠, ㉡　　　　**13** 5, 6, 7, 8, 9

14 ㉡, ㉣　　　　**15** 윤호, 지아

16

17 14개　　　　**18** 5299

19 ⃝ 사야 하는 색종이의 묶음 수를 알아보려면 올림을 이용합니다. 467을 올림하여 백의 자리까지 나타내면 467 → 500입니다.
따라서 필요한 색종이의 수를 500장으로 생각하면 색종이는 최소 100장씩 5묶음을 사야 합니다.
; 5묶음

20 170

---

04 ① 19 초과인 수　② 19 이하인 수
　　③ 19 미만인 수　⑤ 18 이상 20 이하인 수

06 28 이하인 수가 아닌 수는 28 초과인 수입니다.
　　28보다 큰 수를 모두 찾으면 ① 29, ④ 28.5입니다.

07 33보다 크고 37과 같거나 작은 수이므로 33 초과 37 이하인 수입니다. ⇨ 34, 35, 36, 37

---

08 2390 → 2400, 2454 → 2400,
　　　100　　　　　0

09 73 → 70, 82 → 80, 90 → 90,
　　74 → 70, 75 → 80, 86 → 90

10 석진이의 몸무게는 36.8 kg이므로 석진이가 속한 체급은 페더급입니다.
36 kg 초과 39 kg 이하인 학생은 정민(37.6 kg), 지민(38.0 kg)입니다.

11 민준이의 몸무게는 33.1 kg이므로 민준이가 속한 체급은 플라이급입니다.
플라이급은 32 kg 초과 34 kg 이하이므로 32는 점 ○을, 34는 점 ●을 사용하고 두 점 사이를 선으로 잇습니다.

12 ㉠ 43 이상인 수
㉡ 44 미만인 수
㉢ 42 이하인 수

13 463□을 반올림하여 십의 자리까지 나타내었을 때 4640이 되려면 십의 자리 바로 아래 자리 숫자가 5, 6, 7, 8, 9이어야 합니다.
⇨ □=5, 6, 7, 8, 9

14 20 kg보다 무거운 수하물을 찾습니다. ⇨ ㉡, ㉣

15 '15세 이상 관람가'는 나이가 15세와 같거나 많으면 영화를 볼 수 있습니다.

16 입장료를 내야 하는 사람의 나이의 범위는 10세 이상 60세 미만인 수입니다.

17 만들 수 있는 리본의 수를 알아보려면 버림을 이용해야 하므로 148을 버림하여 십의 자리까지 나타내면 140입니다.
따라서 리본을 만들 색 테이프의 길이를 140 cm로 생각하면 만들 수 있는 리본은 최대 14개입니다.

18 버림하여 백의 자리까지 나타내면 5200이 되는 자연수는 52□□입니다.
□□에는 0부터 99까지 들어갈 수 있으므로 이 중 가장 큰 자연수는 5299입니다.

20 5824를 올림하여 천의 자리까지 나타낸 수는 6000이고 올림하여 십의 자리까지 나타낸 수는 5830입니다. ⇨ 6000−5830=170

01 60　　　　**02** 1.25, 3.75　　**03** ②

04 2개　　　　**05** 소라

06
　　45　　　50　　　55

07 7700, 7600, 7600　　**08** 139, 140, 147

09 예은, 민정　　**10** 재민　　**11** 345, 290

12 ㉠, ㉣　　**13** 2, 3　　**14** ㉠, ㉣, ㉤

15 화장지　　**16** ④　　**17** 54000원

18 600개　　**19** 7

20 ⑩ 필요한 의자의 수를 알아보려면 올림을 이용합니다. 295를 올림하여 십의 자리까지 나타내면 300입니다. 따라서 학생 수를 300명으로 생각하면 의자는 최소 30개 필요합니다. ; 30개

---

07 올림: 76<u>38</u> → 7700
　　　　　　　100

버림: 76<u>38</u> → 7600
　　　　　　0

반올림: 76<u>38</u> → 7600
　　　　　　버림

08 138.<u>7</u> → 139, 140.<u>3</u> → 140, 146.<u>8</u> → 147
　　　　올림　　　　　　버림　　　　　　올림

09 148 cm보다 작은 키를 모두 찾습니다.
　　⇨ 예은(142.3 cm), 민정(145.7 cm)

10 키가 150 cm보다 큰 학생은 재민(151.2 cm)입니다.

11 2<u>49</u> → 200, 3<u>45</u> → 300,
　　버림　　　　　　버림
　　3<u>50</u> → 400, 2<u>90</u> → 300,
　　올림　　　　　　올림

12 ㉡ 58 초과이므로 58은 포함되지 않습니다.
　　㉢ 58 미만이므로 58은 포함되지 않습니다.

13 올림하여 백의 자리까지 나타낸 수가 2400이므로 ㉠=2이고 ㉡=3입니다.

14 높이가 2 m=200 cm보다 낮은 자동차를 모두 찾습니다.
　　㉠ 185 cm　㉣ 150 cm　㉤ 190 cm

15 24300원은 10000원 초과 25000원 이하인 사용 요금 범위에 속하므로 사은품으로 화장지를 받습니다.

16 반올림하여 천의 자리까지 나타내면 5000이 되는 자연수는 4500부터 5499까지이므로 이 중 가장 큰 수는 5499입니다.

17 54700을 버림하여 천의 자리까지 나타내면 54000이므로 지폐로 최대 54000원까지 바꿀 수 있습니다.

18 팔 수 있는 배의 수를 알아보려면 버림을 이용해야 하므로 630을 버림하여 백의 자리까지 나타내면 600입니다.
　　따라서 팔 수 있는 배는 600개입니다.

19 버림하여 십의 자리까지 나타낸 수가 60이므로 어떤 자연수에 9를 곱한 수는 60부터 69까지의 수가 될 수 있습니다. 이 중에서 9의 배수는 63이므로 어떤 자연수는 63÷9=7입니다.

---

01 48, 41, 38　　**02** <

03
31 32 33 34 35 36 37 38 39 40

04 ③　　　　**05** ⑤　　　　**06** 3대

07 46　　　　**08** ②　　　　**09** 수아

10 240, 320　　　　**11** 85 이상 95 미만

12
5　10　15　20　25　30　35　40　45　50

13 6400　　**14** ㉡　　**15** 32대

16 9

17 ⑩ • 34 이상 41 미만인 수: 34, 35, 36, 37, 38, 39, 40
　　• 38 초과 45 이하인 수: 39, 40, 41, 42, 43, 44, 45
　　따라서 두 수의 범위에 공통으로 속하는 자연수는 39, 40입니다. ; 39, 40

18 1400원　　**19** 6000원

20 ⑩ 학생들이 버스 3대의 좌석에 모두 앉고 1명이 더 있다고 하면 45×3+1=136(명)이므로 136명 이상입니다. 학생들이 버스 4대의 좌석에 모두 앉으면 45×4=180(명)이므로 180명 이하입니다. 따라서 준서네 학교 5학년 학생은 136명 이상 180명 이하입니다.
　　; 136명 이상 180명 이하

07 10 이상 13 이하인 자연수는 10, 11, 12, 13입니다.
⇨ 10+11+12+13=46

08 ① 15, 16, 17, 18, 19, 20, 21, 22, 23, 24
⇨ 10개

② 15, 16, 17, 18, 19, 20, 21, 22, 23, 24, 25
⇨ 11개

③ 16, 17, 18, 19, 20, 21, 22, 23, 24 ⇨ 9개

④ 16, 17, 18, 19, 20, 21, 22, 23, 24, 25
⇨ 10개

⑤ 16, 17, 18, 19, 20, 21, 22, 23, 24, 25
⇨ 10개

09 수아: 49762 → 50000
올림

따라서 어림을 잘못한 학생은 수아입니다.

10

수	475	385	240	320	459
올림	500	400	300	400	500
반올림	500	400	200	300	500

11 반올림하여 십의 자리까지 나타낸 수가 90이 되는 자연수는 85부터 94까지이므로 85 이상 95 미만입니다.

12 편지를 보내는 데 330원을 냈으므로 편지의 무게는 5 g 초과 25 g 이하입니다.

13 가장 큰 수를 만들려면 높은 자리에 큰 숫자부터 차례로 늘어놓아야 하므로 6431입니다.
6431 → 6400
버림

14 ㉠ 버림 ㉡ 반올림 ㉢ 버림

15 책상을 모두 실어야 하므로 올림을 이용합니다.
318을 올림하여 십의 자리까지 나타내면 320이므로 트럭은 최소 32대 필요합니다.

16 □ 미만인 자연수는 8개이므로 □보다 작은 자연수는 1, 2, 3, 4, 5, 6, 7, 8입니다.
따라서 □ 안에 알맞은 자연수는 9입니다.

18 11세인 지아는 어린이 요금을 내야 하므로 550원이고 15세인 언니는 청소년 요금을 내야 하므로 850원입니다. 따라서 버스 요금으로 모두 550+850=1400(원)을 내야 합니다.

19 60분=1시간이므로 75분=1시간 15분입니다.
1시간 15분은 1시간에서 15분이 지났으므로 기본 1시간 요금에 15분의 추가 요금을 내야 합니다.
(주차 요금)=3000+1000×(15÷5)
=3000+3000=6000(원)

---

01 ❶ 55, 60, 60.0, 55.3, 58.7, 56.9
; 60.0 kg, 55.3 kg, 58.7 kg, 56.9 kg
❷ 정민, 준호, 한철, 명우 ❸ 4명

02 ❶ 23, 작은에 ○표 , 23, 미만에 ○표
; 23 미만인 수
❷ 22

03 ❶ 100, 14200 ; 14200   ❷ 0, 14000 ; 14000
❸ 200

04 ❶ 7, 6, 5, 2 ; 7652   ❷ 5, 올림에 ○표 ; 7700

01 ❸ 용사급에 해당하는 학생은 정민, 준호, 한철, 명우로 4명입니다.

02 ❷ 23 미만인 수는 22, 21, 20⋯⋯이므로 수의 범위에 속하는 수 중 가장 큰 자연수는 22입니다.

03 ❸ 14200−14000=200

04 ❷ 7652 → 7700
올림

01 예 12 초과 14 이하인 수는 12보다 크고 14와 같거나 작은 수입니다.
따라서 기온이 12 ℃ 초과 14 ℃ 이하인 도시는 서울(13.1 ℃), 대전(13.0 ℃)으로 2곳입니다. ; 2곳

02 예 수직선에 나타낸 수의 범위는 56 초과인 수이므로 57, 58, 59, 60⋯⋯입니다. 따라서 수의 범위에 속하는 수 중 가장 작은 자연수는 57입니다. ; 57

03 예 61574를 올림하여 백의 자리까지 나타내면 61600이고 버림하여 천의 자리까지 나타내면 61000입니다. 따라서 두 수의 차는
61600−61000=600입니다. ; 600

04 예 만들 수 있는 가장 큰 네 자리 수는 9643입니다. 따라서 9643을 반올림하여 백의 자리까지 나타내면 9600입니다. ; 9600

05 예 반올림하여 십의 자리까지 나타내었더니 420이 되는 자연수 중에서 가장 작은 수는 415이고 가장 큰 수는 424입니다. 따라서 어떤 수가 될 수 있는 수의 범위는 415 이상 425 미만입니다.
; 415 이상 425 미만

01

배점	채점기준
상	기온이 12 ℃ 초과 14 ℃ 이하인 도시를 찾아 답을 바르게 구함
중	풀이 과정이 부족하나 답은 맞음
하	문제를 전혀 해결하지 못함

03

배점	채점기준
상	어림하여 나타낸 두 수를 구하여 답을 바르게 구함
중	풀이 과정이 부족하나 답은 맞음
하	문제를 전혀 해결하지 못함

05

배점	채점기준
상	어떤 수가 될 수 있는 가장 작은 수와 가장 큰 수를 구하여 답을 바르게 구함
중	풀이 과정이 부족하나 답은 맞음
하	문제를 전혀 해결하지 못함

26쪽 밀크티 성취도평가 **오답 베스트 5**

01 16명 **02** ③ **03** ②
04 7530 **05** ㉢

01 사탕을 10개씩 봉지에 담으면 16봉지에 10개씩 담고 8개가 남습니다.
따라서 최대 16명의 친구들에게 사탕을 나누어 줄 수 있습니다.

02 소수 첫째 자리 아래 수인 0.03을 0.1로 보고 올림하면 8.3입니다.

03 버림하여 백의 자리까지 나타내면 4300이 되는 자연수는 43□□입니다.
□□에는 0부터 99까지 들어갈 수 있으므로 이 중에서 가장 큰 자연수는 4399입니다.

04 주어진 수 카드 4장으로 만들 수 있는 가장 큰 네 자리 수는 7532입니다.
7532를 반올림하여 십의 자리까지 나타내면 일의 자리 숫자가 2이므로 버림하여 7530이 됩니다.

05 ㉠: 올림, ㉡: 올림, ㉢: 버림
따라서 어림하는 방법이 다른 것은 ㉢입니다.

2 분수의 곱셈

29쪽 **쪽지시험** 1회

01 $3, \dfrac{3}{4}$ **02** $5, \dfrac{5}{7}$ **03** $28, \dfrac{28}{5}, 5\dfrac{3}{5}$

04 $4, 5, \dfrac{28}{5}, 5\dfrac{3}{5}$ **05** $5, 4, \dfrac{28}{5}, 5\dfrac{3}{5}$

06 $7, 7, 42, 8\dfrac{2}{5}$ **07** $\dfrac{2}{5}, 5, 2\dfrac{2}{5}, 8\dfrac{2}{5}$

08 $\dfrac{7}{10}$ **09** $7\dfrac{1}{5}$ **10** 10

08 $\dfrac{1}{10} \times 7 = \dfrac{1 \times 7}{10} = \dfrac{7}{10}$

09 $\dfrac{4}{5} \times 9 = \dfrac{4 \times 9}{5} = \dfrac{36}{5} = 7\dfrac{1}{5}$

10 $2\dfrac{1}{2} \times 4 = \dfrac{5}{\overset{}{\underset{1}{2}}} \times \overset{2}{4} = 10$

30쪽 **쪽지시험** 2회

01 $5, 5$ **02** $5, 25, 2\dfrac{7}{9}$ **03** $9, \dfrac{9}{5}, 1\dfrac{4}{5}$

04 $3, \dfrac{9}{5}, 1\dfrac{4}{5}$ **05** $3, \dfrac{9}{5}, 1\dfrac{4}{5}$

06 $11, 11, \dfrac{33}{5}, 6\dfrac{3}{5}$ **07** $2, 3, 6\dfrac{3}{5}$

08 $1\dfrac{1}{2}$ **09** 6 **10** 21

08 $\overset{1}{4} \times \dfrac{3}{\overset{}{\underset{2}{8}}} = \dfrac{3}{2} = 1\dfrac{1}{2}$

09 $\overset{3}{15} \times \dfrac{2}{\overset{}{\underset{1}{5}}} = 6$

10 $12 \times 1\dfrac{3}{4} = \overset{3}{12} \times \dfrac{7}{\overset{}{\underset{1}{4}}} = 21$

31쪽 **쪽지시험** 3회

01 $4, 24$ **02** $2, 5, \dfrac{6}{25}$ **03** $28, \dfrac{15}{28}$

04 $4, \dfrac{15}{28}$ **05** $4, \dfrac{15}{28}$ **06** $\dfrac{9}{40}$

07 $\dfrac{1}{6}$ **08** $\dfrac{1}{14}$ **09** $>$

10 $<$

06 $\dfrac{3}{4} \times \dfrac{3}{10} = \dfrac{3 \times 3}{4 \times 10} = \dfrac{9}{40}$

07 $\dfrac{\overset{1}{\cancel{5}}}{6} \times \dfrac{1}{\underset{1}{\cancel{5}}} = \dfrac{1}{6}$

09 분수에 진분수를 곱한 값은 처음 분수보다 작습니다.

32쪽 쪽지시험 4회

01 7, 21, $2\dfrac{5}{8}$　　**02** 1, 1, $\dfrac{18}{7}$, $2\dfrac{4}{7}$

03 1, 1, $\dfrac{12}{5}$, $2\dfrac{2}{5}$　　**04** 7, 7, 6, $\dfrac{7}{24}$

05 11, $\dfrac{165}{56}$, $2\dfrac{53}{56}$　　**06** $\dfrac{3}{8}$, 15, 45, $2\dfrac{53}{56}$

07 $11\dfrac{13}{25}$　　**08** $1\dfrac{2}{3}$　　**09** $3\dfrac{3}{5}$

10 $\dfrac{1}{3}$

---

07 $6\dfrac{2}{5} \times 1\dfrac{4}{5} = \dfrac{32}{5} \times \dfrac{9}{5} = \dfrac{288}{25} = 11\dfrac{13}{25}$

08 $4 \times \dfrac{5}{12} = \dfrac{\overset{1}{\cancel{4}}}{1} \times \dfrac{5}{\underset{3}{\cancel{12}}} = \dfrac{5}{3} = 1\dfrac{2}{3}$

10 $\dfrac{\overset{1}{\cancel{\overset{2}{\cancel{4}}}}}{7} \times \dfrac{7}{\underset{1}{\cancel{\underset{2}{\cancel{10}}}}} \times \dfrac{\overset{1}{\cancel{5}}}{\underset{3}{\cancel{6}}} = \dfrac{1}{3}$

33~35쪽 단원평가 1회 Ⓐ 난이도

01 8　　**02** 2, 6, 1, 1　　**03** 7, 21, 2, 1

04 3, 15, 7, 1　　**05** 3, 12, $6\dfrac{2}{5}$

06 14, 3, 2, 28, 9, 1　　**07** 3, 7, 3, 3

08 $\dfrac{5}{14}$　　**09** $8 \times \dfrac{7}{12} = \dfrac{\overset{2}{\cancel{8}} \times 7}{\underset{3}{\cancel{12}}} = \dfrac{14}{3} = 4\dfrac{2}{3}$

10 $2\dfrac{1}{4} \times 2\dfrac{1}{3} = \dfrac{9}{4} \times \dfrac{\overset{3}{\cancel{7}}}{\underset{1}{\cancel{3}}} = \dfrac{21}{4} = 5\dfrac{1}{4}$

11 $\dfrac{1}{15}$　　**12** $12\dfrac{5}{6}$　　**13** >

14 재환　　**15** ·╳·　　**16** (○)(　)

17 ㉠, ㉣　　**18** 5, 2　　**19** $16\dfrac{1}{2}$ cm²

20 $18\dfrac{2}{3}$ m

---

08 $\dfrac{\overset{1}{\cancel{4}}}{7} \times \dfrac{5}{\underset{2}{\cancel{8}}} = \dfrac{5}{14}$

09 자연수와 분자를 곱하기 전에 약분한 후 계산하는 방법입니다.

10 대분수를 가분수로 나타낸 후 약분하여 계산하는 방법입니다.

12 $2\dfrac{1}{3} \times 5\dfrac{1}{2} = \dfrac{7}{3} \times \dfrac{11}{2} = \dfrac{77}{6} = 12\dfrac{5}{6}$

13 분수에 1보다 큰 수를 곱한 값은 처음 분수보다 큽니다.

14 ・혜진: 10의 $\dfrac{1}{5}$은 2입니다.

　　・진호: $10 \times \dfrac{3}{5} = 6$입니다.

15 $5 \times \dfrac{3}{4} = \dfrac{5 \times 3}{4} = \dfrac{15}{4} = 3\dfrac{3}{4}$, $\dfrac{\overset{1}{\cancel{4}}}{\underset{6}{\cancel{24}}} \times \dfrac{11}{6} = \dfrac{11}{6} = 1\dfrac{5}{6}$

16 $\dfrac{1}{2} > \dfrac{1}{3}$ 이므로 $\dfrac{1}{8}$에 더 큰 수를 곱한 $\dfrac{1}{8} \times \dfrac{1}{2}$이 $\dfrac{1}{8} \times \dfrac{1}{3}$보다 더 큽니다.

17 3에 1보다 큰 수를 곱하면 계산 결과는 3보다 큽니다.

19 (직사각형의 넓이)
　　$= 6 \times 2\dfrac{3}{4} = \overset{3}{\cancel{6}} \times \dfrac{11}{\underset{2}{\cancel{4}}} = \dfrac{33}{2} = 16\dfrac{1}{2}$ (cm²)

20 (사용한 색 테이프의 길이)
　　$= \overset{8}{\cancel{32}} \times \dfrac{7}{\underset{3}{\cancel{12}}} = \dfrac{56}{3} = 18\dfrac{2}{3}$ (m)

36~38쪽 단원평가 2회 Ⓐ 난이도

01 5, $\dfrac{3}{20}$　　**02** 2, 2, 1

03 3, 4, 12, $1\dfrac{5}{7}$　　**04** 7, $\dfrac{21}{40}$

05 $\dfrac{4}{15}$, 1, 5, $\dfrac{1}{5}$　　**06** $\dfrac{1}{66}$　　**07** $4\dfrac{2}{5}$

08 ·╳·　　**09** $4\dfrac{3}{5} \times 3 = \dfrac{23}{5} \times 3 = \dfrac{69}{5} = 13\dfrac{4}{5}$

10 $\dfrac{5}{21}$　　**11** >　　**12** ⑤

13 (위부터) $91\dfrac{1}{4}$, $18\dfrac{2}{5}$, $3\dfrac{1}{5}$ **14** $\dfrac{2}{9}$

15 (◯)(   )   **16** 지현   **17** ㉢, ㉠, ㉡, ㉣

18 35   **19** 8, $41\dfrac{1}{3}$ **20** 13 kg

08 $\dfrac{5}{\underset{4}{8}} \times \overset{9}{18} = \dfrac{5}{4} \times 9$, $4 \times 2\dfrac{1}{3} = 4 \times \dfrac{7}{3} = \dfrac{7}{3} \times 4$

12 ① $6\dfrac{2}{3}$ ② $7\dfrac{1}{5}$ ③ $5\dfrac{1}{3}$ ④ $\dfrac{1}{4}$ ⑤ 14

13 $\overset{4}{12} \times \dfrac{4}{\underset{5}{15}} = \dfrac{16}{5} = 3\dfrac{1}{5}$,

$8 \times 2\dfrac{3}{10} = \overset{4}{8} \times \dfrac{23}{\underset{5}{10}} = \dfrac{92}{5} = 18\dfrac{2}{5}$,

$9\dfrac{1}{8} \times 10 = \dfrac{73}{\underset{4}{8}} \times \overset{5}{10} = \dfrac{365}{4} = 91\dfrac{1}{4}$

14 $1\dfrac{2}{5} \times \dfrac{2}{7} \times \dfrac{5}{9} = \dfrac{\overset{1}{7}}{\underset{1}{5}} \times \dfrac{2}{7} \times \dfrac{\overset{1}{5}}{9} = \dfrac{2}{9}$

15 $\dfrac{\overset{1}{5}}{8} \times \dfrac{8}{\underset{15}{15}} = \dfrac{1}{3}$, $\dfrac{7}{\underset{2}{10}} \times \dfrac{\overset{1}{5}}{21} = \dfrac{1}{6}$ ⇨ $\dfrac{1}{3} > \dfrac{1}{6}$

16 (진분수)×(자연수)는 진분수의 분자와 자연수를 곱하여 계산합니다.

17 ㉠ $\dfrac{1}{18}$ ㉡ $\dfrac{1}{35}$ ㉢ $\dfrac{1}{16}$ ㉣ $\dfrac{1}{36}$

⇨ ㉢>㉠>㉡>㉣

18 ㉮×㉯×㉰ $= 2\dfrac{1}{2} \times 3 \times 4\dfrac{2}{3} = \dfrac{5}{\underset{1}{2}} \times \overset{1}{3} \times \dfrac{\overset{7}{14}}{\underset{1}{3}} = 35$

19 (철근 8 m의 무게)

$= 5\dfrac{1}{6} \times 8 = \dfrac{31}{\underset{3}{6}} \times \overset{4}{8} = \dfrac{124}{3} = 41\dfrac{1}{3}$ (kg)

20 (달에서 잰 몸무게) $= \overset{13}{78} \times \dfrac{1}{\underset{1}{6}} = 13$ (kg)

---

01 2, 5, $1\dfrac{1}{4}$ **02** 3, 27

03 1, 4, 1, 1, $21\dfrac{1}{3}$ **04** 1, 16, 16, $5\dfrac{1}{3}$

05 $\dfrac{7}{45}$ **06** ㉣

---

07 $8 \times 3\dfrac{5}{12} = \overset{2}{8} \times \dfrac{41}{\underset{3}{12}} = \dfrac{82}{3} = 27\dfrac{1}{3}$

08 $\dfrac{5}{12}$

09 $4\dfrac{1}{6} \times 8 = \dfrac{25}{\underset{3}{6}} \times \overset{4}{8} = \dfrac{100}{3} = 33\dfrac{1}{3}$

10 $2\dfrac{1}{3}$ **11** (위부터) $\dfrac{1}{16}$, $\dfrac{1}{55}$, $\dfrac{1}{22}$, $\dfrac{1}{40}$

12 $\dfrac{15}{28}$ **13** <

14 $\dfrac{5}{13} \times \dfrac{2}{3}$, $\dfrac{5}{13} \times \dfrac{7}{9}$ 에 ◯표   **15** $4\dfrac{25}{28}$

16 $\dfrac{16}{81}$ m²

17 예 오늘 읽은 부분은 전체의 $\dfrac{1}{9}$의 $\dfrac{1}{6}$입니다.

따라서 오늘 읽은 부분은 전체의 $\dfrac{1}{9} \times \dfrac{1}{6} = \dfrac{1}{54}$입니다. ; $\dfrac{1}{54}$

18 $1\dfrac{3}{5}$ km   **19** $2\dfrac{1}{11}$ km

20 2, 3, 4, 5, 6

---

07 대분수를 가분수로 나타낸 후 약분하여 계산합니다.

09 대분수를 가분수로 나타내지 않고 약분하여 계산했으므로 잘못된 계산입니다.

14 $\dfrac{5}{13}$에 1보다 작은 수를 곱한 것을 찾습니다.

15 ㉠ $4 \times 1\dfrac{2}{7} = 4 \times \dfrac{9}{7} = \dfrac{36}{7} = 5\dfrac{1}{7}$ ㉡ $\dfrac{\overset{1}{5}}{\underset{4}{8}} \times \dfrac{2}{\underset{1}{5}} = \dfrac{1}{4}$

⇨ $5\dfrac{1}{7} - \dfrac{1}{4} = 5\dfrac{4}{28} - \dfrac{7}{28} = 4\dfrac{32}{28} - \dfrac{7}{28} = 4\dfrac{25}{28}$

16 (정사각형의 넓이) $= \dfrac{4}{9} \times \dfrac{4}{9} = \dfrac{16}{81}$ (m²)

18 $\dfrac{2}{5} \times 4 = \dfrac{2 \times 4}{5} = \dfrac{8}{5} = 1\dfrac{3}{5}$ (km)

19 $4\dfrac{2}{11} \times \dfrac{1}{2} = \dfrac{\overset{23}{46}}{11} \times \dfrac{1}{\underset{1}{2}} = \dfrac{23}{11} = 2\dfrac{1}{11}$ (km)

20 $\dfrac{1}{5} \times \dfrac{1}{\square} = \dfrac{1 \times 1}{5 \times \square} > \dfrac{1}{32}$

⇨ $5 \times \square < 32$이므로 □ 안에 들어갈 수 있는 자연수는 2, 3, 4, 5, 6입니다.

01 $7, 7, 3\frac{1}{2}$ **02** $3, 3, 3\frac{1}{2}$

03 $14, 56, 6\frac{2}{9}$ **04** $3, 1, 6, 22$

05 $5\frac{1}{3}$ **06** $\frac{27}{28}$ **07** $3, 5, \frac{1}{15}$

08 $\frac{15}{28}$ **09** (선 잇기)

10 $2\frac{5}{7}\times4=(2+2+2+2)+\left(\frac{5}{7}+\frac{5}{7}+\frac{5}{7}+\frac{5}{7}\right)$

$=8+\frac{20}{7}=8+2\frac{6}{7}=10\frac{6}{7}$

11 ㉠

12 $10\times3\frac{1}{6}=\overset{5}{10}\times\frac{19}{\underset{3}{6}}=\frac{5\times19}{3}=\frac{95}{3}=31\frac{2}{3}$

13 $\frac{5}{21}$ m² **14** (위부터) $24\frac{3}{4}, 15\frac{3}{5}, 49\frac{1}{2}, 7\frac{4}{5}$

15 $\frac{7}{15}$ **16** $12\frac{4}{5}$ L **17** ㉣, ㉢, ㉠, ㉡

18 $1\frac{11}{15}$ kg **19** $8\frac{8}{15}$

20 예 어제 읽고 난 나머지는 책 전체의 $1-\frac{1}{5}=\frac{4}{5}$

이므로 오늘 읽은 양은 책 전체의 $\overset{2}{\underset{1}{\frac{4}{5}}}\times\overset{1}{\underset{3}{\frac{5}{6}}}=\frac{2}{3}$입니

다. 따라서 어제와 오늘 읽은 양은 책 전체의

$\frac{1}{5}+\frac{2}{3}=\frac{3}{15}+\frac{10}{15}=\frac{13}{15}$입니다. ; $\frac{13}{15}$

08 $\frac{3}{4}\times\frac{5}{7}=\frac{3\times5}{4\times7}=\frac{15}{28}$

09 $\frac{1}{2}\times\frac{1}{7}=\frac{1}{14}, \frac{1}{5}\times\frac{1}{6}=\frac{1}{30}, \frac{1}{3}\times\frac{1}{4}=\frac{1}{12}$

$\frac{1}{15}\times\frac{1}{2}=\frac{1}{30}, \frac{1}{7}\times\frac{1}{2}=\frac{1}{14}, \frac{1}{6}\times\frac{1}{2}=\frac{1}{12}$

10 대분수를 자연수와 진분수의 합으로 보고 계산합
니다.

11 ㉠ $7\frac{11}{30}\left(=7\frac{88}{240}\right)$, ㉡ $7\frac{5}{16}\left(=7\frac{75}{240}\right)$ ⇨ ㉠>㉡

12 대분수를 가분수로 나타낸 후에는 자연수와 분자
를 곱하여 계산해야 하는데 자연수와 분모를 곱
하여 계산했으므로 잘못 계산했습니다.

13 (평행사변형의 넓이)

$=\frac{5}{\underset{3}{12}}\times\frac{\overset{1}{4}}{7}=\frac{5}{21}$ (m²)

14 $4\frac{1}{8}\times6=24\frac{3}{4}$,

$12\times1\frac{3}{10}=15\frac{3}{5}$,

$4\frac{1}{8}\times12=49\frac{1}{2}$,

$6\times1\frac{3}{10}=7\frac{4}{5}$

15 안경을 쓴 남학생은 전체의 $\overset{1}{\underset{5}{\frac{3}{5}}}\times\frac{7}{\underset{3}{9}}=\frac{7}{15}$입니다.

16 $3\frac{1}{5}\times4=\frac{16}{5}\times4=\frac{64}{5}=12\frac{4}{5}$ (L)

17 $\frac{3}{4}$에 1보다 큰 수를 곱하면 $\frac{3}{4}$보다 커지고 1보다

작은 수를 곱하면 $\frac{3}{4}$보다 작아집니다.

18 $4\frac{1}{3}\times\frac{2}{5}=\frac{13}{3}\times\frac{2}{5}=\frac{26}{15}=1\frac{11}{15}$ (kg)

19 만들 수 있는 가장 큰 대분수는 $5\frac{1}{3}$이고 가장 작은

대분수는 $1\frac{3}{5}$입니다.

⇨ $5\frac{1}{3}\times1\frac{3}{5}=\frac{16}{3}\times\frac{8}{5}=\frac{128}{15}=8\frac{8}{15}$

01 $28\frac{1}{2}$ **02** $\frac{1}{6}$ **03** 16

04 $\frac{1}{35}$ **05** $3\frac{17}{36}$ **06** >

07 (선 잇기) **08** $11\frac{1}{2}$

09 (위부터) $2\frac{4}{5}, 3\frac{1}{5}, 10, 4\frac{1}{2}$ **10** $10\frac{8}{9}$

11 ㉠ **12** $\frac{6}{7}$ L **13** $26\frac{2}{3}$ cm

14 ㉢ ; 예 $7\frac{5}{6}\times12=\frac{47}{\underset{1}{6}}\times\overset{2}{12}=94$

15 $158\frac{2}{3}$ g **16** ㉡ **17** $\frac{1}{2}$ kg

18 24000원　**19** $\dfrac{2}{45}$

20 예 (타일 한 장의 넓이)

$=3\dfrac{3}{5}\times3\dfrac{3}{5}=\dfrac{18}{5}\times\dfrac{18}{5}=\dfrac{324}{25}=12\dfrac{24}{25}\,(\text{cm}^2)$

(타일이 붙어 있는 부분의 넓이)

$=12\dfrac{24}{25}\times30=\dfrac{324}{\underset{5}{25}}\times\overset{6}{30}=\dfrac{1944}{5}$

$=388\dfrac{4}{5}\,(\text{cm}^2)\,;\,388\dfrac{4}{5}\,\text{cm}^2$

07 $\overset{3}{6}\times\dfrac{7}{\underset{5}{10}}=\dfrac{21}{5}=4\dfrac{1}{5}$, $\dfrac{3}{\underset{4}{20}}\times\overset{3}{15}=\dfrac{9}{4}=2\dfrac{1}{4}$,

$\overset{3}{24}\times\dfrac{7}{\underset{2}{16}}=\dfrac{21}{2}=10\dfrac{1}{2}$

08 $2\dfrac{3}{10}\times5=\dfrac{23}{\underset{2}{10}}\times\overset{1}{5}=\dfrac{23}{2}=11\dfrac{1}{2}$

09 $\overset{2}{12}\times\dfrac{7}{\underset{5}{30}}=\dfrac{14}{5}=2\dfrac{4}{5}$, $\overset{4}{12}\times\dfrac{4}{\underset{5}{15}}=\dfrac{16}{5}=3\dfrac{1}{5}$,

$\overset{2}{12}\times\dfrac{5}{\underset{1}{6}}=10$, $\overset{3}{12}\times\dfrac{3}{\underset{2}{8}}=\dfrac{9}{2}=4\dfrac{1}{2}$

11 ㉠ $3\dfrac{1}{8}$　㉡ $\dfrac{6}{7}$　㉢ $\dfrac{3}{5}$　㉣ $2\dfrac{1}{3}$

$\Rightarrow$ ㉠ > ㉣ > ㉡ > ㉢

12 $3\times\dfrac{2}{7}=\dfrac{6}{7}\,(\text{L})$

13 정사각형은 네 변의 길이가 모두 같습니다.

$6\dfrac{2}{3}\times4=\dfrac{20}{3}\times4=\dfrac{80}{3}=26\dfrac{2}{3}\,(\text{cm})$

15 $13\dfrac{2}{9}\times12=\dfrac{119}{\underset{3}{9}}\times\overset{4}{12}=\dfrac{476}{3}=158\dfrac{2}{3}\,(\text{g})$

16 ㉠ 1시간=60분이므로 1시간의 $\dfrac{1}{2}$은

$60\times\dfrac{1}{2}=30\,(분)$입니다.

㉡ 1 m=100 cm이므로 1 m의 $\dfrac{1}{4}$은

$100\times\dfrac{1}{4}=25\,(\text{cm})$입니다.

㉢ 1 L=1000 mL이므로 1 L의 $\dfrac{1}{10}$은

$1000\times\dfrac{1}{10}=100\,(\text{mL})$입니다.

17 (사용한 설탕의 양)

$=1\dfrac{1}{5}\times\dfrac{7}{12}=\dfrac{\overset{1}{6}}{5}\times\dfrac{7}{\underset{2}{12}}=\dfrac{7}{10}\,(\text{kg})$

(남은 설탕의 양)$=1\dfrac{1}{5}-\dfrac{7}{10}=1\dfrac{2}{10}-\dfrac{7}{10}$

$=\dfrac{12}{10}-\dfrac{7}{10}=\dfrac{5}{10}=\dfrac{1}{2}\,(\text{kg})$

> **다른 풀이** 남은 설탕은 전체의 $1-\dfrac{7}{12}=\dfrac{5}{12}$이므로
>
> $1\dfrac{1}{5}\times\dfrac{5}{12}=\dfrac{\overset{1}{6}}{\underset{1}{5}}\times\dfrac{\overset{1}{5}}{\underset{2}{12}}=\dfrac{1}{2}\,(\text{kg})$입니다.

18 (할인 기간에 1명의 입장료)

$=\overset{3000}{9000}\times\dfrac{2}{\underset{1}{3}}=6000\,(원)$

(할인 기간에 4명의 입장료)

$=6000\times4=24000\,(원)$

19 5학년 여학생 수는 전체 학생의 $\dfrac{1}{5}\times\dfrac{2}{3}=\dfrac{2}{15}$이고

그중 체육을 좋아하는 학생은 $\dfrac{2}{15}\times\dfrac{1}{3}=\dfrac{2}{45}$입니다.

> **48~49쪽** 단계별로 연습하는 **서술형평가**

01 ❶ 5, 4, 35, $8\dfrac{3}{4}$; $8\dfrac{3}{4}$ kg　❷ 재민

02 ❶ 11, 11, 121, $4\dfrac{21}{25}$; $4\dfrac{21}{25}$ cm²

　❷ 17, 68, $4\dfrac{8}{15}$; $4\dfrac{8}{15}$ cm²　❸ 가, $\dfrac{23}{75}$ cm²

03 ❶ 예 $3\dfrac{1}{2}\times5=17\dfrac{1}{2}$　❷ $17\dfrac{1}{2}$ 컵

04 ❶ 클수록에 ○표　❷ 큰에 ○표, 8, 9 ; 8, 9

　❸ 9, 8, 72 또는 8, 9, 72

01 ❷ 8 kg$<8\dfrac{3}{4}$ kg이므로 지점토를 더 많이 사용한

　사람은 재민입니다.

02 ❸ $4\dfrac{21}{25}$ cm²$>4\dfrac{8}{15}$ cm²이므로 가의 넓이가

$4\dfrac{21}{25}-4\dfrac{8}{15}=4\dfrac{63}{75}-4\dfrac{40}{75}=\dfrac{23}{75}\,(\text{cm}^2)$ 더 넓

　습니다.

03 ❶ $3\dfrac{1}{2}\times5=\dfrac{7}{2}\times5=\dfrac{35}{2}=17\dfrac{1}{2}$

01 예 (미라가 사용한 철사의 길이)$=\overset{2}{\cancel{12}}\times\dfrac{5}{\cancel{6}}=10\,(\text{m})$

따라서 6 m < 10 m이므로 철사를 더 많이 사용한 사람은 미라입니다. ; 미라

02 예 (가의 넓이)$=2\dfrac{2}{3}\times3\dfrac{1}{4}=\dfrac{8}{3}\times\dfrac{13}{\underset{1}{\cancel{4}}}=\dfrac{26}{3}$

$$=8\dfrac{2}{3}\,(\text{cm}^2)$$

(나의 넓이)$=1\dfrac{3}{7}\times3\dfrac{5}{6}=\dfrac{\overset{5}{\cancel{10}}}{7}\times\dfrac{23}{\underset{3}{\cancel{6}}}=\dfrac{115}{21}$

$$=5\dfrac{10}{21}\,(\text{cm}^2)$$

따라서 $8\dfrac{2}{3}\,\text{cm}^2>5\dfrac{10}{21}\,\text{cm}^2$이므로 가의 넓이가

$8\dfrac{2}{3}-5\dfrac{10}{21}=8\dfrac{14}{21}-5\dfrac{10}{21}=3\dfrac{4}{21}\,(\text{cm}^2)$ 더 넓습

니다. ; 가, $3\dfrac{4}{21}\,\text{cm}^2$

03 예 $4\dfrac{2}{7}\times6=\dfrac{30}{7}\times6=\dfrac{180}{7}=25\dfrac{5}{7}\,(\text{m})$이므로

가래떡을 $25\dfrac{5}{7}$ m까지 뽑을 수 있습니다.

; $25\dfrac{5}{7}$ m

04 예 계산 결과가 가장 크게 되려면 가장 작은 두 수

를 분모로 하면 되므로 $\dfrac{1}{2}\times\dfrac{1}{3}=\dfrac{1}{6}$입니다. ; $\dfrac{1}{6}$

05 예 어제 읽은 양은 책 한 권의 $\dfrac{1}{4}$이고 어제 읽고 난

나머지는 책 한 권의 $1-\dfrac{1}{4}=\dfrac{3}{4}$이므로 오늘 읽은 양

은 책 한 권의 $\dfrac{\overset{1}{\cancel{3}}}{4}\times\dfrac{5}{\underset{2}{\cancel{6}}}=\dfrac{5}{8}$입니다.

따라서 오늘 읽은 쪽수는 $\overset{30}{\cancel{240}}\times\dfrac{5}{\underset{1}{\cancel{8}}}=150$(쪽)입니

다. ; 150쪽

01

배점	채점기준
상	철사의 길이를 구하여 답을 바르게 구함
중	풀이 과정이 부족하나 답은 맞음
하	문제를 전혀 해결하지 못함

02

배점	채점기준
상	가와 나의 넓이를 구하여 답을 바르게 구함
중	풀이 과정이 부족하나 답은 맞음
하	문제를 전혀 해결하지 못함

03

배점	채점기준
상	식을 세워 답을 바르게 구함
중	풀이 과정이 부족하나 답은 맞음
하	문제를 전혀 해결하지 못함

04

배점	채점기준
상	수 카드 두 장을 사용하여 답을 바르게 구함
중	풀이 과정이 부족하나 답은 맞음
하	문제를 전혀 해결하지 못함

05

배점	채점기준
상	오늘 읽은 양을 구하여 답을 바르게 구함
중	풀이 과정이 부족하나 답은 맞음
하	문제를 전혀 해결하지 못함

01 나   **02** $\dfrac{1}{18}$ **03** 2 cm²

04 $\dfrac{1}{14}$ **05** 40 m²

01 가: $2\dfrac{1}{4}\times1\dfrac{1}{4}=\dfrac{9}{4}\times\dfrac{5}{4}=\dfrac{45}{16}=2\dfrac{13}{16}\,(\text{cm}^2)$

나: $1\dfrac{3}{4}\times1\dfrac{3}{4}=\dfrac{7}{4}\times\dfrac{7}{4}=\dfrac{49}{16}=3\dfrac{1}{16}\,(\text{cm}^2)$

⇨ 가 < 나

02 $\dfrac{3}{7}\times\dfrac{1}{6}\times\dfrac{7}{9}=\dfrac{\cancel{3}\times1\times\overset{1}{\cancel{7}}}{\cancel{7}\times\underset{1}{\cancel{6}}\times9}=\dfrac{1}{18}$

03 $1\dfrac{3}{8}\times1\dfrac{5}{11}=\dfrac{\overset{1}{\cancel{11}}}{\underset{1}{\cancel{8}}}\times\dfrac{\overset{2}{\cancel{16}}}{\underset{1}{\cancel{11}}}=2\,(\text{cm}^2)$

04 농구를 좋아하는 5학년 남학생은 전체의

$\dfrac{1}{2}\times\dfrac{\overset{1}{\cancel{5}}}{7}\times\dfrac{1}{\underset{1}{\cancel{5}}}=\dfrac{1}{14}$입니다.

05 고추를 심고 남은 밭은 전체 밭의 $\dfrac{5}{8}$이므로

고추를 심고 남은 밭의 넓이는

$\overset{8}{\cancel{64}}\times\dfrac{5}{\underset{1}{\cancel{8}}}=40\,(\text{m}^2)$입니다.

55쪽 쪽지시험 1회

01 다   **02** 나   **03** 나

04   **05** 예

06 ㄹ, ㅁ, ㅂ   **07** ㄹㅁ, ㅁㅂ, ㅂㄹ

08 ㄹㅁㅂ, ㅁㅂㄹ, ㅂㄹㅁ   **09** ㅂㅁ

10 ㅂㄹㅁ

04 주어진 도형과 모양과 크기가 똑같게 그립니다.

09 합동인 두 도형에서 대응변의 길이는 같습니다.
변 ㄱㄴ의 대응변은 변 ㅂㅁ입니다.

10 합동인 두 도형에서 대응각의 크기는 같습니다.
각 ㄱㄷㄴ의 대응각은 각 ㅂㄹㅁ입니다.

56쪽 쪽지시험 2회

01 (○)( )   **02** ( )(○)

03 ( )(○)   **04** (○)( )

05   **06**

07 점 ㅁ, 변 ㄱㅁ, 각 ㅁㄹㅂ

08 점 ㅂ, 변 ㄹㅁ, 각 ㅁㅂㄱ

09   **10**

03 한 점을 중심으로 180° 돌렸을 때 처음 도형과 완전히 겹치는 도형을 찾습니다.

05 한 직선을 따라 접었을 때 완전히 겹치게 하는 직선을 그립니다.

06 대응점끼리 이은 선분이 만나는 점을 찾습니다.

09 대응점을 차례로 이어 선대칭도형을 완성합니다.

10 대응점을 차례로 이어 점대칭도형을 완성합니다.

57~59쪽 단원평가 1회 ⒜ 난이도

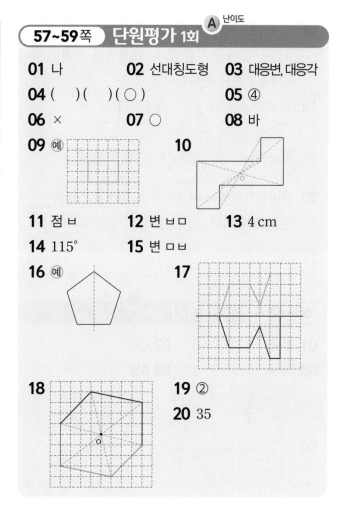

01 나   **02** 선대칭도형   **03** 대응변, 대응각

04 ( )( )(○)   **05** ④

06 ×   **07** ○   **08** 바

09 예   **10**

11 점 ㅂ   **12** 변 ㅂㅁ   **13** 4 cm

14 115°   **15** 변 ㅁㅂ

16 예   **17**

18   **19** ②

20 35

06 주어진 점을 중심으로 180° 돌렸을 때 처음 도형과 완전히 겹치지 않으므로 점대칭도형이 아닙니다.

08 도형 가와 포개었을 때 완전히 겹치는 도형은 바입니다.

11 직선 ㅅㅇ을 따라 접었을 때 겹치는 점을 찾습니다.

12 점 ㄴ의 대응점은 점 ㅂ이고 점 ㄷ의 대응점은 점 ㅁ이므로 변 ㄴㄷ의 대응변은 변 ㅂㅁ입니다.

13 서로 합동인 두 사각형에서 대응변의 길이는 서로 같습니다.
변 ㄱㄹ의 대응변은 변 ㅇㅁ이므로
(변 ㄱㄹ)=(변 ㅇㅁ)=4 cm입니다.

14 서로 합동인 두 사각형에서 대응각의 크기는 서로 같습니다.
각 ㅇㅁㅂ의 대응각은 각 ㄱㄹㄷ이므로
(각 ㅇㅁㅂ)=(각 ㄱㄹㄷ)=115°입니다.

15 점대칭도형에서 대응변은 길이가 같으므로 변 ㄴㄷ과 변 ㅁㅂ의 길이가 같습니다.

16 점선을 따라 잘랐을 때 만들어진 두 도형이 모양과 크기가 같도록 점선을 그립니다.

18 각 점에서 대칭의 중심까지의 길이와 같도록 대응점을 찾아 표시한 후 각 대응점을 차례로 이어 점대칭도형을 완성합니다.

19 ① ○ ② △ ③ □

④ ▭ ⑤ ▱

20 선대칭도형에서 대응각의 크기는 같으므로 □=35°입니다.

10 선대칭도형은 한 직선을 따라 접었을 때 완전히 겹쳐집니다.

11 각 대응점끼리 이은 선분은 대칭축과 수직(90°)으로 만납니다.

12 점 ㄷ의 대응점은 점 ㅅ, 점 ㄹ의 대응점은 점 ㅂ이므로 각 ㄷㄹㅁ의 대응각은 각 ㅅㅂㅁ입니다.

14 선대칭도형은 대응변의 길이와 대응각의 크기가 각각 같습니다.

15 선대칭도형의 대칭축은 여러 개일 수 있으므로 모두 찾아봅니다.

16 각각의 대응점에서 대칭의 중심까지의 거리는 같습니다.

17 각 ㄷㄹㅁ의 대응각은 각 ㅂㄱㄴ이므로 각 ㄷㄹㅁ은 110°입니다.

18 넓이가 같아도 모양과 크기가 다르면 합동이 아니므로 바르게 말한 사람은 승민입니다.

19 선대칭도형: 가, 나, 다, 마, 바
점대칭도형: 나, 라, 마, 바

20 (각 ㅇㅁㅂ)=(각 ㄱㄹㄷ)=85°이고
사각형의 네 각의 크기의 합은 360°입니다.
⇨ (각 ㅁㅂㅅ)=360°−85°−95°−80°=100°

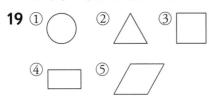

60~62쪽 단원평가 2회 Ⓐ 난이도

01 합동 **02** ㉠

03 〈도형〉

04 5쌍

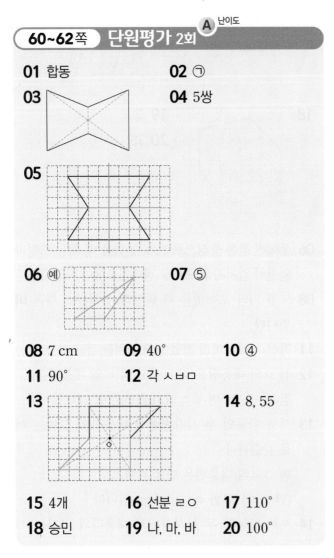

05 〈도형〉

06 (예) 〈도형〉 **07** ⑤

08 7 cm **09** 40° **10** ④

11 90° **12** 각 ㅅㅂㅁ

13 〈도형〉 **14** 8, 55

15 4개 **16** 선분 ㄹㅇ **17** 110°

18 승민 **19** 나, 마, 바 **20** 100°

04 합동인 두 도형에서 대응변은 변의 수와 같으므로 5쌍입니다.

08 변 ㄹㅂ의 대응변은 변 ㄱㄷ입니다.
⇨ (변 ㄹㅂ)=(변 ㄱㄷ)=7 cm

09 각 ㄹㅁㅂ의 대응각은 각 ㄱㄴㄷ입니다.
⇨ (각 ㄹㅁㅂ)=(각 ㄱㄴㄷ)=40°

63~65쪽 단원평가 3회 Ⓑ 난이도

01 (×)(○) **02** 다 **03** 변 ㄱㄴ

04 (예) 〈도형〉 **05** 5 cm, 7 cm

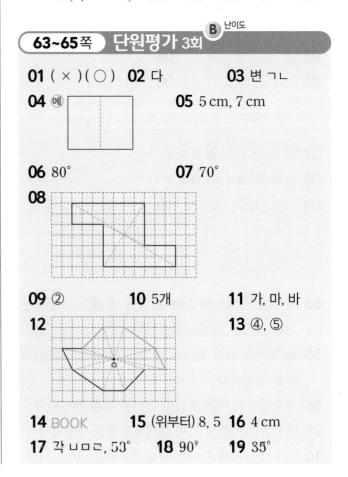

06 80° **07** 70°

08 〈도형〉

09 ② **10** 5개 **11** 가, 마, 바

12 〈도형〉 **13** ④, ⑤

14 BOOK **15** (위부터) 8, 5 **16** 4 cm

17 각 ㄴㅁㄷ, 53° **18** 90° **19** 35°

20 예 사각형 ㄱㄴㄷㄹ은 직사각형이므로
(선분 ㄴㄹ)=(선분 ㄱㄷ)=15 cm입니다.
⇨ (삼각형 ㄹㄴㄷ의 둘레)
= (선분 ㄹㄴ)+(변 ㄴㄷ)+(변 ㄷㄹ)
= 15+12+9=36 (cm) ; 36 cm

03 선대칭도형에서 대응변의 길이는 같습니다.
변 ㄱㅂ의 대응변은 변 ㄱㄴ입니다.

04 여러 가지 방법으로 만들 수 있습니다.
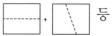 등

05 변 ㅁㅂ의 대응변은 변 ㄱㄴ입니다.
⇨ (변 ㅁㅂ)=(변 ㄱㄴ)=5 cm
변 ㅇㅅ의 대응변은 변 ㄹㄷ입니다.
⇨ (변 ㅇㅅ)=(변 ㄹㄷ)=7 cm

06 각 ㅂㅅㅇ의 대응각은 각 ㄴㄷㄹ입니다.
⇨ (각 ㅂㅅㅇ)=(각 ㄴㄷㄹ)=80°

07 각 ㅁㅂㅅ의 대응각은 각 ㄱㄴㄷ입니다.
⇨ (각 ㅁㅂㅅ)=(각 ㄱㄴㄷ)=70°

09 선대칭도형을 완성하면 완성된 모양
은 사각형이 됩니다.

10 선대칭도형은 가, 나, 다, 라, 마로 모두 5개입니다.

11 한 점을 중심으로 180° 돌렸을 때 처음 도형과 완
전히 겹치는 도형을 찾으면 가, 마, 바입니다.

13 ① 대칭축은 선대칭도형에 있습니다.
② 각각의 대응각의 크기는 서로 같습니다.
③ 점대칭도형에서 대칭의 중심은 1개뿐입니다.

14 대칭축에 거울을 대면 선대칭도형이 됩니다.

15 변 ㄴㄷ의 대응변은 변 ㅂㅁ이므로
(변 ㄴㄷ)=5 cm입니다.
각각의 대응점에서 대칭축까지의 거리는 같으므로
(선분 ㄴㅂ)=4+4=8 (cm)입니다.

16 변 ㄴㄷ의 대응변은 변 ㅂㄹ입니다.
⇨ (변 ㄴㄷ)=(변 ㅂㄹ)=4 cm

17 각 ㄴㄱㄷ의 대응각은 각 ㅂㅁㄹ입니다.
삼각형 ㄹㅁㅂ에서 (각 ㅁㅂㄹ)=90°이므로
(각 ㅂㅁㄹ)=180°-37°-90°=53°입니다.

18 선분 ㄴㄷ이 대칭축과 만나서 이루는 각은 90°이
므로 각 ㄱㄹㄷ은 90°입니다.

19 선대칭도형에서 대응각의 크기는 같으므로
(각 ㄱㄴㄷ)=(각 ㄱㄷㄴ)입니다.
⇨ (각 ㄱㄷㄴ)=(180°-110°)÷2=35°

01 모양, 크기   **02** 나, 라   **03** 변 ㄷㄴ
04 각 ㅁㅂㄱ   **05** 예
06 ②   **07** 각 ㅁㅂㅅ   **08** 3 cm
09   **10** 10 cm
11 24 cm   **12**
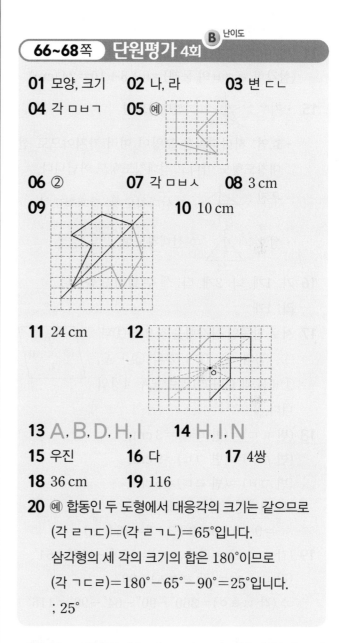
13 A, B, D, H, I   **14** H, I, N
15 우진   **16** 다   **17** 4쌍
18 36 cm   **19** 116
20 예 합동인 두 도형에서 대응각의 크기는 같으므로
(각 ㄹㄱㄷ)=(각 ㄹㄱㄴ)=65°입니다.
삼각형의 세 각의 크기의 합은 180°이므로
(각 ㄱㄷㄹ)=180°-65°-90°=25°입니다.
; 25°

03 점 ㅂ의 대응점은 점 ㄷ, 점 ㅁ의 대응점은 점 ㄴ이
므로 변 ㅂㅁ의 대응변은 변 ㄷㄴ입니다.

04 점 ㄴ의 대응점은 점 ㅁ, 점 ㄷ의 대응점은 점 ㅂ,
점 ㄹ의 대응점은 점 ㄱ이므로 각 ㄴㄷㄹ의 대응
각은 각 ㅁㅂㄱ입니다.

06 ②는 네 변의 길이가 모두 다르므로 서로 합동인
도형이 되도록 자를 수 없습니다.

07 점 ㄴ의 대응점은 점 ㅁ, 점 ㄷ의 대응점은 점 ㅂ, 점 ㄹ의 대응점은 점 ㅅ입니다.
따라서 각 ㄴㄷㄹ의 대응각은 각 ㅁㅂㅅ입니다.

08 변 ㅁㅇ의 대응변은 변 ㄴㄱ이므로
(변 ㅁㅇ)=(변 ㄴㄱ)=3 cm입니다.

10 서로 합동인 두 도형에서 대응변의 길이는 같습니다.
⇨ (변 ㄹㅁ)=(변 ㄱㄷ)=10 cm

11 (변 ㅂㅁ)=(변 ㄴㄷ)=8 cm
(삼각형 ㄹㅁㅂ의 둘레)=6+8+10=24 (cm)

15 ・지우 : ⇨ 선대칭도형
・효연 : 사다리꼴은 모양이 여러 가지이므로 선대칭도형도 아니고 점대칭도형도 아닙니다.
・우진 : ⇨ 선대칭도형, 점대칭도형
・성호 : ⇨ 선대칭도형

16 가: 1개, 나: 2개, 다: 셀 수 없이 많습니다., 라: 1개

17 서로 합동인 삼각형을 찾으면 ①과 ③, ②와 ④, ①+②와 ③+④, ①+④와 ②+③으로 모두 4쌍입니다.

18 (변 ㄴㄷ)=(변 ㅁㅂ)=3 cm,
(변 ㄹㅁ)=(변 ㄱㄴ)=9 cm,
(변 ㄱㅂ)=(변 ㄹㄷ)=6 cm
⇨ (점대칭도형의 둘레)
=9+3+6+9+3+6=36 (cm)

19 (각 ㅅㄷㄹ)=(각 ㅅㅂㅁ)=180°−116°=64°,
(각 ㄷㅅㅇ)=(각 ㄹㅇㅅ)=90°
⇨ (각 ㄷㄹㅇ)=360°−90°−64°−90°=116°

69~71쪽 단원평가 5회 난이도

01 가와 마, 나와 사

02 다르므로에 ○표, 합동이 아닙니다에 ○표

03

04 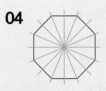 **05**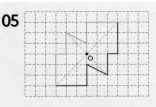

06 ㉠, ㉢ **07** ㉠, ㉡, ㉣ **08** 95°

09 8 cm **10** 5 cm **11** ㅁ, ㅇ, ㅍ

12 ㅇ **13** ㉡ **14** 다

15 6 cm **16** 40°

17 예 각 ㄱㄷㄹ의 대응각은 각 ㄱㄴㄹ이므로
(각 ㄱㄷㄹ)=60°입니다.
(각 ㄴㄱㄷ)=180°−60°−60°=60°이므로
삼각형 ㄱㄴㄷ은 정삼각형입니다.
⇨ (삼각형 ㄱㄴㄷ의 둘레)
=6×3=18 (cm) ; 18 cm

18 16 cm **19** 30°

20 예 (주어진 도형의 넓이)=10×8÷2=40 (cm²)
완성할 점대칭도형 전체의 넓이는 주어진 도형의 넓이의 2배이므로 (점대칭도형 전체의 넓이)
=40×2=80 (cm²)입니다. ; 80 cm²

06 선대칭도형은 대응변의 길이가 같고, 대응점끼리 이은 선분은 대칭축과 수직으로 만납니다.

07 점대칭도형은 대응변의 길이가 같고, 대응점끼리 이은 선분이 한 점에서 만나고, 대칭의 중심은 1개뿐입니다.

08 (각 ㄱㄹㄷ)=(각 ㅇㅁㅂ)=80°
(각 ㄱㄴㄷ)=360°−80°−110°−75°
=95°
이므로 (각 ㅇㅅㅂ)=(각 ㄱㄴㄷ)=95°입니다.

09 변 ㄷㄹ의 대응변은 변 ㅅㅇ이므로 변 ㄷㄹ은 8 cm입니다.

10 (변 ㅂㅁ)=(변 ㄴㄱ)=5 cm
(변 ㄹㅁ)=(변 ㅇㄱ)=□ cm라고 하면
□+8+6+5+□+8+6+5=48,
□×2+38=48, □×2=10, □=5입니다.

12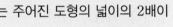
1개 1개 4개 ↓ 2개
셀 수 없이 많습니다.

13 ㉠ 밑변의 길이와 높이가 같으면 넓이가 같으므로 서로 합동이라고 할 수 없습니다.

㉢ 둘레가 서로 같아도 모양과 크기가 다를 수 있으므로 서로 합동이라고 할 수 없습니다.

14 바꾸어 붙일 수 있는 타일은 깨진 타일과 서로 합동인 타일이므로 다입니다.

15 (변 ㅁㅂ)=18−8−4=6 (cm)

합동인 두 도형에서 대응변의 길이는 같으므로 (변 ㄱㄴ)=(변 ㅁㅂ)=6 cm입니다.

16 대응각의 크기는 같으므로 각 ㄴㄱㄷ과 각 ㄹㄱㄷ의 크기는 같습니다.

삼각형의 세 각의 크기의 합은 $180°$이므로

(각 ㄹㄱㄷ)=(각 ㄴㄱㄷ)

$\qquad = 180°−115°−25°$

$\qquad = 40°$입니다.

18 (변 ㄴㅅ)=(변 ㄹㅁ)=7 cm

⇨ (선분 ㅅㄷ)=23−7=16 (cm)

19 대칭의 중심에서 대응점까지의 거리는 같으므로

(선분 ㄱㅇ)=(선분 ㄹㅇ)=(선분 ㄴㅇ)이고

삼각형 ㄱㄴㅇ은 두 각이 $75°$인 이등변삼각형입니다.

⇨ (각 ㄱㅇㄴ)=180°−75°−75°

$\qquad\qquad = 30°$

01 ❶ 같습니다에 ○표

❷ 각 ㄹㅂㅁ, 각 ㅂㄹㅁ, 각 ㅁㄹㅂ ❸ 60°

02 ❶ ㉠, ㉢, ㉣ ❷ ㉡, ㉢ ❸ ㉢

03 ❶ 같습니다에 ○표 ❷ ㄴㄹ, 8 ; 8 cm

❸ 15 cm

04 ❶ 4 ; 4 cm ❷ 4 cm ❸ 58 cm

01 ❸ (각 ㄴㄷㄱ)=(각 ㅂㅁㄹ)=80°이고

삼각형의 세 각의 크기의 합은 $180°$이므로

(각 ㄱㄴㄷ)=180°−40°−80°

$\qquad\qquad = 60°$입니다.

02 ❶ 선대칭도형은 한 직선을 따라 접으면 완전히 겹칩니다.

❷ 점대칭도형은 어떤 점을 중심으로 $180°$ 돌렸을 때 처음 도형과 완전히 겹칩니다.

03 ❸ (변 ㄱㄴ)=(변 ㄱㄷ)이고

(변 ㄱㄴ)+(변 ㄱㄷ)=46−8−8=30 (cm)

이므로 (변 ㄱㄷ)=30÷2=15 (cm)입니다.

04 ❷ (변 ㅁㅂ)=12−4−4=4 (cm)

❸ (변 ㄷㄹ)=(변 ㅂㄱ)=15 cm,

(변 ㅁㄹ)=(변 ㄴㄱ)=10 cm,

(변 ㅁㅂ)=(변 ㄴㄷ)=4 cm이므로

(점대칭도형의 둘레)

$\quad =10+4+15+10+4+15$

$\quad =58$ (cm)입니다.

01 예 (각 ㄱㅁㄴ)=180°−65°−90°=25°

각 ㄹㅁㄷ의 대응각은 각 ㅁㄱㄴ이므로

(각 ㄹㅁㄷ)=(각 ㅁㄱㄴ)=65°입니다.

따라서 (각 ㄱㅁㄹ)=180°−25°−65°=90°입니다. ; 90°

02 예 선대칭도형인 모양은 ㉡, ㉢, ㉣이고 그중에서 점대칭도형이 되는 모양을 찾으면 ㉢입니다.

; ㉢

03 예 선대칭도형에서 대응변의 길이는 같으므로

(변 ㄱㄴ)=(변 ㄱㄷ)이고

(선분 ㄷㄹ)=(선분 ㄴㄹ)=5 cm입니다.

따라서 (변 ㄱㄷ)=(34−5−5)÷2=12 (cm)입니다. ; 12 cm

04 예 (선분 ㄷㅇ)=(선분 ㅂㅇ)=2 cm이므로

(변 ㄴㄷ)=11−2−2=7 (cm)입니다.

(변 ㄱㄴ)=(변 ㄹㅁ)=5 cm,

(변 ㄷㄹ)=(변 ㅂㄱ)=9 cm,

(변 ㅂㅁ)=(변 ㄷㄴ)=7 cm이므로

(점대칭도형의 둘레)

$\quad =5+7+9+5+7+9=42$ (cm)입니다. ; 42 cm

01

배점	채점기준
상	대응각의 크기를 이용하여 답을 바르게 구함
중	풀이 과정이 부족하나 답은 맞음
하	문제를 전혀 해결하지 못함

02

배점	채점기준
상	선대칭도형과 점대칭도형을 찾아 답을 바르게 구함
중	풀이 과정이 부족하나 답은 맞음
하	문제를 전혀 해결하지 못함

03

배점	채점기준
상	대응변의 길이를 이용하여 답을 바르게 구함
중	풀이 과정이 부족하나 답은 맞음
하	문제를 전혀 해결하지 못함

04

배점	채점기준
상	점대칭도형의 성질을 이용하여 답을 바르게 구함
중	풀이 과정이 부족하나 답은 맞음
하	문제를 전혀 해결하지 못함

76쪽 밀크티 성취도평가 **오답 베스트 5**

01 ④ **02** ③ **03** 4 cm
04 ④ **05** 75°

01 한 직선을 따라 접었을 때 완전히 겹치는지 생각하며 대칭축을 찾습니다. 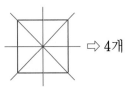 ⇨ 4개

02 점대칭도형인 알파벳은 **H, N, O**입니다.

03 점대칭도형은 대응변의 길이가 같으므로 변 ㅁㅂ, 변 ㅂㄱ, 변 ㄱㄴ의 길이의 합이 둘레의 반인 12cm입니다.
따라서 변 ㄱㄴ은 12−(3+5)=4 (cm)입니다.

04 선분 ㄷㅇ의 길이를 □cm라 하면
(5+3+6+□)×2=40,
14+□=20, □=6입니다.
따라서 선분 ㄷㅇ의 길이는 6 cm입니다.

05 점대칭도형은 대응각의 크기가 같습니다.
(각 ㄱㄹㄴ)=(각 ㄷㄴㄹ)=75°

---

4 소수의 곱셈

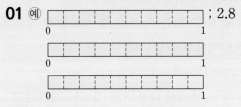

79쪽 쪽지시험 1회

01 예 ; 2.8

02 8, 0.8, 0.8, 2.8   **03** 0.5, 1.5
04 5, 5, 15, 1.5   **05** 5, 3, 15, 1.5
06 1.48, 5.92   **07** 148, 148, 592, 5.92
08 148, 592, 5.92   **09** 6.65
10 51.6

05 0.1이 5×3=15(개)이므로 0.5×3=1.5입니다.
08 0.01이 148×4=592(개)이므로 1.48×4=5.92입니다.
09 95×7=665이므로 0.95×7=6.65입니다.
10 86×6=516이므로 8.6×6=51.6입니다.

80쪽 쪽지시험 2회

01 5, 2, 7   **02** 2, 2, 6, 0.6   **03** 6, 0.6
04 28, 28, 448, 44.8   **05** 448, 44.8
06 $22×0.8=22×\frac{8}{10}=\frac{22×8}{10}=\frac{176}{10}=17.6$
07 $8×2.09=8×\frac{209}{100}=\frac{8×209}{100}=\frac{1672}{100}=16.72$
08 7.2   **09** 2.4   **10** 153.6

03 곱하는 수가 $\frac{1}{10}$배가 되면 곱도 $\frac{1}{10}$배가 됩니다.
04 소수 한 자리 수는 분모가 10인 분수로 나타내어 곱셈을 합니다.
05 곱하는 수가 28에서 2.8로 $\frac{1}{10}$배가 되었으므로 곱은 448의 $\frac{1}{10}$배인 44.8이 됩니다.
08 9×8=72이므로 9×0.8=7.2입니다.
09 15×16=240이므로 15×0.16=2.40입니다.
10 30×512=15360이므로 30×5.12=153.60입니다.

01 0.56 **02** 26, 7, 182, 0.182

03 182, 0.182 **04** 28, 28, 336, 3.36

05 336, 3.36

06 $0.9 \times 0.47 = \dfrac{9}{10} \times \dfrac{47}{100} = \dfrac{423}{1000} = 0.423$

07 $3.56 \times 1.5 = \dfrac{356}{100} \times \dfrac{15}{10} = \dfrac{5340}{1000} = 5.34$

08 1.536 **09** 15.36 **10** 0.1536

---

03 곱해지는 수는 26에서 0.26으로 $\dfrac{1}{100}$배가 되고 곱하는 수는 7에서 0.7로 $\dfrac{1}{10}$배가 되었으므로 곱은 182의 $\dfrac{1}{1000}$배인 0.182가 됩니다.

08 4.8은 48의 $\dfrac{1}{10}$배이고 0.32는 32의 $\dfrac{1}{100}$배이므로 4.8×0.32는 1536의 $\dfrac{1}{1000}$배인 1.536이 됩니다.

09 4.8은 48의 $\dfrac{1}{10}$배이고 3.2는 32의 $\dfrac{1}{10}$배이므로 4.8×3.2는 1536의 $\dfrac{1}{100}$배인 15.36이 됩니다.

10
$$\begin{array}{r} 0.4\,8 \\ \times\,0.3\,2 \\ \hline 1\,5\,3\,6 \end{array} \Rightarrow \begin{array}{r} 0.4\,8 \\ \times\,0.3\,2 \\ \hline 0.1\,5\,3\,6 \end{array}$$

01 3, 18, 0.18 **02** 3, 18, 0.018

03 8.9, 89, 890 **04** 413, 41.3, 4.13

05 0.32, 0.032, 0.0032 **06** 13.44

07 0.1344 **08** 13440

09 0.14 **10** 8260

---

05 소수끼리의 곱셈은 곱하는 두 수의 소수점 아래 자리 수를 더한 것과 결과 값의 소수점 아래 자리 수가 같습니다.

07 0.96×0.14의 소수점 아래 자리 수의 합이 4이므로 곱은 1344에서 소수점을 왼쪽으로 네 칸 옮겨 0.1344가 됩니다.

08 $96 \times 1.4 = 134.4$이고 9600×1.4는 96보다 0이 2개 더 있으므로 곱은 134.4에서 소수점을 오른쪽으로 두 칸 옮긴 13440입니다.

09 8.26의 소수점 아래 자리 수가 2이고 곱의 소수점 아래 자리 수가 4이므로 □ 안에 알맞은 수는 소수 두 자리 수인 0.14입니다.

10 0.14의 소수점 아래 자리 수는 2이고 곱의 소수점 아래 자리 수는 1이므로 □ 안에 알맞은 수는 826에서 0이 하나 늘어난 8260입니다.

01 5.1 **02** 0.36

03 34, 34, 306, 3.06 **04** 156, 3588, 3.588

05 8, 12, 96, 9.6

06 $2 \times 0.7 = 2 \times \dfrac{7}{10} = \dfrac{2 \times 7}{10} = \dfrac{14}{10} = 1.4$

07 $4 \times 1.8 = 4 \times \dfrac{18}{10} = \dfrac{4 \times 18}{10} = \dfrac{72}{10} = 7.2$

08 0.468 **09** 46.8

10 7.2 **11** 2.38

12 $25 \times 0.9 = 25 \times \dfrac{9}{10} = \dfrac{225}{10} = 22.5$

13 8.5, 85, 850 **14** 5.04 **15** 0.72

16 > **17** 1000 **18** ©

19 0.8 L **20** 50.22 cm²

---

08 0.26×1.8의 소수점 아래 자리 수의 합이 3이므로 곱은 468에서 소수점을 왼쪽으로 세 칸 옮겨 0.468이 됩니다.

09 $26 \times 0.18 = 4.68$이고 260×0.18은 26보다 0이 1개 더 있으므로 곱은 4.68에서 소수점을 오른쪽으로 한 칸 옮긴 46.8입니다.

13 곱하는 수의 0이 하나씩 늘어날수록 그 결과의 소수점이 오른쪽으로 한 칸씩 옮겨집니다.

14 곱하는 수가 같고 곱해지는 수가 36에서 0.36으로 $\dfrac{1}{100}$배가 되었으므로 곱도 504의 $\dfrac{1}{100}$배인 5.04가 됩니다.

15 $3.6 \times 0.2 = 0.72$

16 $0.15 \times 0.8 = 0.12$, $0.2 \times 0.34 = 0.068$
⇨ $0.12 > 0.068$

17 0.139에서 139로 소수점이 오른쪽으로 세 칸 옮겨졌으므로 0이 3개 있는 1000을 곱한 것입니다.

18 ㉠ $0.5 \times 6 = 3$이므로 0.38×6은 3보다 작습니다.
㉡ $1.5 \times 2 = 3$이므로 1.2×2는 3보다 작습니다.
㉢ $5 \times 0.6 = 3$이므로 5×0.64는 3보다 큽니다.

19 $0.2 \times 4 = 0.8$ (L)

20 (직사각형의 넓이) $= 9.3 \times 5.4 = 50.22$ (cm²)

86~88쪽 단원평가 2회 Ⓐ 난이도

01 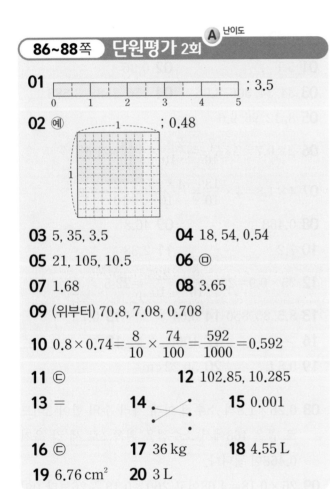 ; 3.5

02 예 ; 0.48

03 5, 35, 3.5　　**04** 18, 54, 0.54

05 21, 105, 10.5　　**06** ㉢

07 1.68　　**08** 3.65

09 (위부터) 70.8, 7.08, 0.708

10 $0.8 \times 0.74 = \dfrac{8}{10} \times \dfrac{74}{100} = \dfrac{592}{1000} = 0.592$

11 ㉢　　**12** 102.85, 10.285

13 =　　**14** ⤬　　**15** 0.001

16 ㉢　　**17** 36 kg　　**18** 4.55 L

19 6.76 cm²　　**20** 3 L

07 $28 \times 6 = 168$ ⇨ $0.28 \times 6 = 1.68$

08
$$\begin{array}{r} 7.3 \\ \times\, 0.5 \\ \hline 3\,6\,5 \end{array} \Rightarrow \begin{array}{r} 7.3 \\ \times\, 0.5 \\ \hline 3.6\,5 \end{array}$$

09 자연수에 0.1, 0.01, 0.001을 곱하면 곱하는 수의 소수점 아래 자리 수만큼 소수점이 왼쪽으로 옮겨집니다.

11 두 소수의 소수점 아래 자리 수의 합이 3이므로 곱의 소수점 아래 자리 수도 3입니다.

---

12 ・6.05×17: 곱하는 수는 같고 곱해지는 수가 605에서 6.05로 $\dfrac{1}{100}$배가 되었으므로 곱도 10285의 $\dfrac{1}{100}$배인 102.85가 됩니다.

・60.5×0.17: 곱하는 두 소수의 소수점 아래 자리 수의 합이 3이므로 곱은 10285에서 소수점이 왼쪽으로 세 칸 옮겨진 10.285가 됩니다.

13 두 곱의 자연수의 곱셈이 367×12로 같으므로 소수점 아래의 자리 수를 비교하면 소수 두 자리 수로 계산 결과가 같습니다.

14 $36 \times 1.4 = 50.4$, $27 \times 2.2 = 59.4$

15 5710에서 5.71로 소수점이 왼쪽으로 세 칸 옮겨졌으므로 0.001을 곱한 것입니다.

16 ㉠ $10 \times 0.6 = 6$이므로 10의 0.65배는 6보다 큽니다.
㉡ $5 \times 1.4 = 7$이므로 5의 1.5배는 6보다 큽니다.
㉢ $8 \times 0.5 = 4$이므로 8의 0.4배는 6보다 작습니다.

17 (준호의 몸무게) $= 48 \times 0.75 = 36$ (kg)

18 일주일은 7일입니다.
(배달되는 우유의 양) $= 0.65 \times 7 = 4.55$ (L)

19 (정사각형의 넓이) $= 2.6 \times 2.6 = 6.76$ (cm²)

20 (기획 상품 세제의 양) $= 2.5 \times 1.2 = 3$ (L)

89~91쪽 단원평가 3회 Ⓑ 난이도

01 2.5　　**02** 7, 63, 0.63

03 (위부터) 63, 100, 0.63

04 ㉠　　**05** 21.6

06 1.22　　**07** 40, 4, 0.4, 0.04

08 ⤬　　**09** 23, 230, 0.23

10 25.48, 12.74　　**11** ①, ⑤

12 40.8, 4.08, 0.408　　**13** >

14 예 $\dfrac{180}{10}$은 18인데 1.8로 잘못 나타냈습니다.
; $60 \times 0.3 = 60 \times \dfrac{3}{10} = \dfrac{60 \times 3}{10} = \dfrac{180}{10} = 18$

15 58.5, 0.1　　**16** 7.5 km　　**17** 8.4 kg

18 ①　　**19** 9시간　　**20** 34.58 kg

03 7에서 0.7로 $\frac{1}{10}$배가 되고 9에서 0.9로 $\frac{1}{10}$배가

되었으므로 곱은 63의 $\frac{1}{100}$배인 0.63이 됩니다.

04 ㉠ 자연수의 곱이 $2 \times 2 = 4$이므로 2.2×2는 4보다

큽니다.

㉡ $2 \times 2 = 4$이므로 1.8×2는 4보다 작습니다.

05 $8 \times 27 = 216 \Rightarrow 8 \times 2.7 = 21.6$

06 $305 \times 4 = 1220 \Rightarrow 3.05 \times 0.4 = 1.22\emptyset$

07 곱하는 소수의 소수점 아래 자리 수가 하나씩 늘
어날 때마다 곱의 소수점이 왼쪽으로 한 칸씩 옮
겨집니다.

08 $6 \times 3.1 = 18.6$, $1.2 \times 2.1 = 2.52$

09 10, 100을 곱하면 소수점이 오른쪽으로 한 칸,
두 칸 옮겨지고, 0.1을 곱하면 소수점이 왼쪽으로
한 칸 옮겨집니다.

10 $3.64 \times 7 = 25.48$, $25.48 \times 0.5 = 12.74\emptyset$

11 $320 \times 0.83 = 265.6$

① 265.6 ② 2656 ③ 2.656

④ 26.56 ⑤ 265.6

12 곱해지는 수의 소수점이 왼쪽으로 옮겨진만큼 곱
의 소수점도 왼쪽으로 옮겨집니다.

13 자연수의 곱셈이 96×4로 같으므로 곱의 소수점
아래의 자리 수를 비교하면

(소수 두 자리 수)＞(소수 세 자리 수)입니다.

15 $65 \times 0.9 = 58.5$, $58.5 \times \square = 5.85 \Rightarrow \square = 0.1$

16 (수미가 5일 동안 달린 거리)

$= 1.5 \times 5 = 7.5$ (km)

17 $1.68 \times 5 = 8.4$ (kg)

18 자연수의 곱셈이 $917 \times 5 = 4585$로 같으므로 소
수점 아래 자리 수의 합이 가장 작은 수가 가장
큰 수입니다.

① 소수 한 자리 수 ② 소수 세 자리 수

③ 소수 두 자리 수 ④ 소수 세 자리 수

⑤ 소수 두 자리 수

19 1시간 30분은 1.5시간입니다.

(이번 주에 운동을 한 시간)$= 1.5 \times 6 = 9$(시간)

20 (금성에서 잰 영호의 몸무게)

$= 38 \times 0.91 = 34.58$ (kg)

92~94쪽 단원평가 4회 Ⓑ 난이도

01 0.54 **02** 100, 405, 4.05

03 10, 3496, 34.96 **04** 0.072

05 0.2759 **06** 26.6 **07** ④

08 414.7 **09** 100 **10** <

11 ㉢

12 ⑩ 결과는 40 정도가 됩니다.

; ⑩ 결과는 4 정도가 됩니다.

13 91.2 cm² **14** ④ **15** 5.166

16 ⑩ (한 달 동안 아낄 수 있는 용돈)

=(한 달 용돈)$\times 0.27 = 20000 \times 0.27 = 5400$(원)

; 5400원

17 10 **18** 17.4 km **19** ㉡

20 57.96 kg

---

04 곱하는 수는 같고 곱해지는 수가 $\frac{1}{1000}$배가 되었

으므로 곱도 $\frac{1}{1000}$배가 됩니다.

07 ① $0.78 \times 10 = 7.8$ ② $0.63 \times 100 = 63$

③ $15 \times 0.01 = 0.15$ ⑤ $4.1 \times 1000 = 4100$

08 $143 \times 29 = 4147$이고 2.9는 소수점 아래 한 자리
수이므로 4147에서 소수점을 왼쪽으로 한 칸 옮
기면 414.7입니다.

09 38.02에서 3802로 소수점이 오른쪽으로 두 칸
옮겨졌으므로 100을 곱한 것입니다.

10 $2.03 \times 7 = 14.21$, $4 \times 3.7 = 14.8$

$\Rightarrow 14.21 < 14.8$

11 ㉠ $7 \times 0.5 = 3.5$이므로 7의 0.55배는 3보다 큽니다.

㉡ 3의 1배가 3이므로 3의 1.26배는 3보다 큽니
다.

㉢ 10의 0.2배는 2이므로 3보다 작습니다.

13 (평행사변형의 넓이)$= 12 \times 7.6 = 91.2$ (cm²)

14 ① 100 ② 100 ③ 0.01 ④ 0.001 ⑤ 10

15 $8.2 > 4.9 > 3.81 > 0.63$

$\Rightarrow 8.2 \times 0.63 = 5.166$

17 $2.37 \times 4.5 = 10.665 \Rightarrow 10.665 > \square$

따라서 $\square$ 안에 들어갈 수 있는 가장 큰 자연수는
10입니다.

18 $1.16 \times 15 = 17.4$ (km)

19 • $5.13 \times ㉠ = 1.2825$에서 곱의 소수점 아래 자리 수가 4이므로 ㉠에 알맞은 수는 소수 두 자리 수입니다. ⇨ ㉠ = 0.25

• ㉡ $\times 2500 = 1282.5$에서 곱하는 수는 25의 100배이고 곱의 소수점 아래 자리 수는 1이므로 ㉡에 알맞은 수는 소수 세 자리 수입니다.
⇨ ㉡ = 0.513

20 (은혜의 몸무게) $= 80.5 \times 0.6 = 48.3$ (kg)
(어머니의 몸무게) $= 48.3 \times 1.2 = 57.96$ (kg)

95~97쪽 단원평가 5회 ⓒ 난이도

01 85 **02** 13.16

03 $0.3 \times 0.9 = \dfrac{3}{10} \times \dfrac{9}{10} = \dfrac{27}{100} = 0.27$

04 27, 0.27 **05** ㉢ **06** (선 잇기 그림)

07 1.21 **08** ㉡

09 예 정삼각형은 세 변의 길이가 모두 같습니다.
따라서 정삼각형의 둘레는 $5.6 \times 3 = 16.8$ (cm)입니다. ; 16.8 cm

10 14.62 kg **11** 140.8 m² **12** 5시간
13 16725원 **14** ㉣ **15** 21.8 km
16 5개 **17** 8.5, 0.2 또는 0.85, 2
18 90.24 cm **19** 203.84 cm²

20 예 (1시간 동안 가는데 필요한 휘발유의 양)
$= 0.18 \times 65 = 11.7$ (L)

45분 $= \dfrac{45}{60}$ 시간 $= \dfrac{3}{4}$ 시간 $= 0.75$시간이므로

1시간 45분은 1.75시간입니다.
(1시간 45분 동안 가는 데 필요한 휘발유의 양)
$= 11.7 \times 1.75 = 20.475$ (L) ; 20.475 L

06 자연수의 곱셈이 136×26으로 같으므로 소수점 아래의 자리 수의 합을 비교합니다.

07 곱해지는 수는 $\dfrac{1}{10}$배가 되고 곱은 $\dfrac{1}{1000}$배가 되어 있으므로 곱하는 수는 $\dfrac{1}{100}$배가 되어야 합니다.

08 곱의 소수점 아래 자리 수는
㉠ 2, ㉡ 3, ㉢ 2, ㉣ 1입니다.

10 $1.7 \times 8.6 = 14.62$ (kg)

11 (화단의 넓이) $= 16 \times 8.8 = 140.8$ (m²)

12 수학 공부를 하는 시간은 화요일과 목요일에 각각 2.5시간씩이므로 모두 $2.5 \times 2 = 5$(시간)입니다.

13 500바트를 우리나라 돈으로 바꾸면
$33.45 \times 500 = 16725$(원)입니다.

14 ㉠ 65.3 ㉡ 50.05 ㉢ 58.4 ㉣ 67.2
따라서 계산 결과가 가장 큰 것은 ㉣ 67.2입니다.

15 (일주일 동안 걷게 되는 산책로 길이)
$= 5.45 \times 4 = 21.8$ (km)

16 (쿠키 1개의 가격) $= 35.6 \times 15.5 = 551.8$(원)
쿠키 1개의 가격을 550원으로 어림하면
$550 \times 5 = 2750$, $550 \times 6 = 3300$이므로 쿠키를 5개까지 살 수 있습니다.

17 $0.85 \times 0.2 = 0.17$인데 1.7이 나왔으므로 계산기에 누른 두 수는 8.5와 0.2 또는 0.85와 2입니다.

18 1 m $=$ 100 cm이므로
(가 식물의 키) $= 0.752$ m $= 75.2$ cm입니다.
⇨ (나 식물의 키) $= 75.2 \times 1.2 = 90.24$ (cm)

19 (색종이 1장의 넓이) $= 5.6 \times 5.6 = 31.36$ (cm²)
6장 반은 소수로 6.5장입니다.
⇨ (색종이 6장 반의 넓이) $= 31.36 \times 6.5$
$= 203.84$ (cm²)

98~99쪽 단계별로 연습하는 서술형평가

01 ❶ 4800 ❷ 있습니다에 ○표, 작기에 ○표
02 ❶ 0.4 ❷ 0.004 ❸ 100, 100 ; 100배
03 ❶ 4.1, 15, 15, 4.1, 61.5 ; 61.5 ❷ 252.15
04 ❶ 0.23, 2, 0.46 ; 0.46 L
❷ 0.46, 1.04 ; 1.04 L ❸ 4.16 L

01 ❶ 초콜릿 1 g당 가격을 19.2원보다 많은 20원으로 어림하여 초콜릿의 가격을 알아봅니다.

❷ 초콜릿 1 g당 가격을 원래 가격보다 많게 어림한 가격이 5000원보다 적으므로 선영이가 가진 돈으로 초콜릿을 살 수 있습니다.

02 ❶ $9.61 \times \bigcirc = 3.844$에서 곱의 소수점 아래 자리 수가 3이므로 $\bigcirc$에 알맞은 수는 소수 한 자리 수입니다. ⇨ $\bigcirc = 0.4$

❷ $96.1 \times \bigcirc = 0.3844$에서 곱의 소수점 아래 자리 수가 4이므로 $\bigcirc$에 알맞은 수는 소수 세 자리 수입니다. ⇨ $\bigcirc = 0.004$

❸ $0.004 \times 100 = 0.4$이므로 $\bigcirc$은 $\bigcirc$의 100배입니다.

03 ❷ $61.5 \times 4.1 = 252.15$

04 ❸ (받는 물의 양)
= (가와 나 두 수도꼭지에서 1분 동안 받는 물의 양) × (물을 받는 시간)
= $1.04 \times 4 = 4.16$ (L)

100~101쪽 풀이 과정을 직접 쓰는 **서술형평가**

01 예 아몬드 1 g당 가격을 16.8원보다 적은 15원으로 어림하면 $15 \times 700 = 10500$(원)입니다.
따라서 10500은 10000보다 크기 때문에 어머니가 가진 돈으로 아몬드를 살 수 없습니다.
; 살 수 없습니다.

02 예 $68.5 \times \bigcirc = 20.55$에서
(소수 한 자리 수) × $\bigcirc$ = (소수 두 자리 수)이므로
$\bigcirc$은 소수 한 자리 수입니다. ⇨ $\bigcirc = 0.3$
$6.85 \times \bigcirc = 0.2055$에서
(소수 두 자리 수) × $\bigcirc$ = (소수 네 자리 수)이므로
$\bigcirc$은 소수 두 자리 수입니다. ⇨ $\bigcirc = 0.03$
따라서 $0.03 \times 10 = 0.3$이므로 $\bigcirc$은 $\bigcirc$의 10배입니다. ; 10배

03 예 소리는 1초에 0.34 km를 가므로 5.6초 동안에는 $0.34 \times 5.6 = 1.904$ (km)를 갑니다.
따라서 소리를 들은 곳은 번개 친 곳에서 1.904 km 떨어져 있습니다. ; 1.904 km

04 예 어떤 수를 □라 하면 $\square \div 1.4 = 6$이므로
$\square = 6 \times 1.4 = 8.4$입니다.
따라서 바르게 계산하면 $8.4 \times 1.4 = 11.76$입니다.
; 11.76

05 예 가 수도꼭지에서 30초에 0.35 L의 물이 나오므로 1분 동안 받는 물은 $0.35 \times 2 = 0.7$ (L)입니다.
따라서 가와 나 두 수도꼭지를 동시에 틀면 1분 동안 받는 물은 $0.7 + 0.15 = 0.85$ (L)이므로 6분 동안 받는 물은 모두 $0.85 \times 6 = 5.1$ (L)입니다.
; 5.1 L

01

배점	채점기준
상	아몬드 1 g당 가격을 이용하여 답을 바르게 구함
중	풀이 과정이 부족하나 답은 맞음
하	문제를 전혀 해결하지 못함

04

배점	채점기준
상	어떤 수를 구하여 답을 바르게 구함
중	풀이 과정이 부족하나 답은 맞음
하	문제를 전혀 해결하지 못함

05

배점	채점기준
상	가와 나 수도꼭지에서 1분 동안 받는 물의 양을 구하여 답을 바르게 구함
중	풀이 과정이 부족하나 답은 맞음
하	문제를 전혀 해결하지 못함

102쪽 밀크티 성취도평가 **오답 베스트 5**

01 ④   **02** 0.1, 100   **03** 31.5
04 ⓒ   **05** 23.994

01 (직사각형의 넓이) = (가로) × (세로)
= $6.3 \times 4.1 = 25.83$ (cm²)

02 5.2에서 0.52로 소수점이 왼쪽으로 한 칸 옮겨졌으므로 □ 안에 알맞은 수는 0.1입니다.
5.2에서 520으로 소수점이 오른쪽으로 두 칸 옮겨졌으므로 □ 안에 알맞은 수는 100입니다.

05 $6.2 > 5.32 > 4.29 > 3.87$이므로 가장 큰 수는 6.2이고, 가장 작은 수는 3.87입니다.
따라서 두 수의 곱을 구하면
$6.2 \times 3.87 = 23.994$입니다.

5 직육면체

105쪽 **쪽지시험 1회**

01 6, 직육면체
02 6, 정육면체
03 (왼쪽부터) 모서리, 꼭짓점, 면
04 나, 다, 라, 바
05 라
06
07
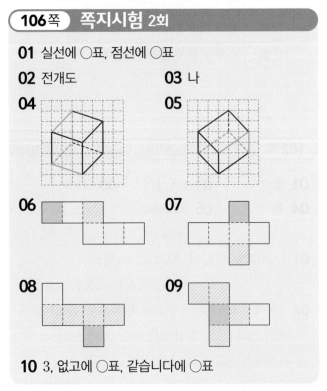
08 3쌍
09 면 ㄱㄴㄷㄹ, 면 ㄴㅂㅅㄷ, 면 ㄹㄷㅅㅇ
10 수직에 ○표

03 • 면: 정육면체에서 선분으로 둘러싸인 부분
• 모서리: 면과 면이 만나는 선분
• 꼭짓점: 모서리와 모서리가 만나는 점
06~07 색칠한 면과 평행한 면은 계속 늘여도 만나지 않는 두 면입니다.
09 꼭짓점 ㄷ이 포함되는 면을 모두 씁니다.

106쪽 **쪽지시험 2회**

01 실선에 ○표, 점선에 ○표
02 전개도
03 나
04
05
06
07
08
09
10 3, 없고에 ○표, 같습니다에 ○표

04~05 보이는 모서리는 실선으로, 보이지 않는 모서리는 점선으로 그립니다.
06 색칠한 면과 평행한 면은 접었을 때 마주 보는 면입니다.

08 색칠한 면과 평행한 면을 제외한 나머지 면은 모두 수직인 면입니다.

107~109쪽 **단원평가 1회** A 난이도

01 다
02 (왼쪽부터) 모서리, 꼭짓점, 면
03 정육면체
04 ㉡
05
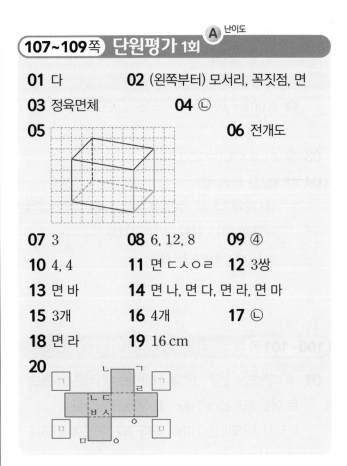
06 전개도
07 3
08 6, 12, 8
09 ④
10 4, 4
11 면 ㄷㅅㅇㄹ
12 3쌍
13 면 바
14 면 나, 면 다, 면 라, 면 마
15 3개
16 4개
17 ㉡
18 면 라
19 16 cm
20

07
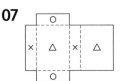
⇨ 모양과 크기가 같은 면은 모두 3쌍입니다.

10 정육면체는 모서리의 길이가 모두 같습니다.
11 색칠한 면과 서로 마주 보는 면을 찾습니다.
12 마주 보는 면끼리 서로 평행하므로 평행한 면은 모두 3쌍입니다.
14 면 가와 만나는 면은 모두 수직입니다.
15 보이는 모서리는 9개, 보이지 않는 모서리는 3개입니다.
16 면 ㄱㄴㄷㄹ과 수직인 면은 면 ㄱㄴㅂㅁ, 면 ㄴㅂㅅㄷ, 면 ㄷㅅㅇㄹ, 면 ㄱㅁㅇㄹ이므로 파란색을 칠해야 하는 면은 모두 4개입니다.
17 ㉠ 3 ㉡ 9 ⇨ ㉠<㉡
19 전개도를 접어서 직육면체를 만들 때 서로 만나는 모서리의 길이는 같습니다.
(선분 ㄱㄴ)=6+2+6+2=16 (cm)

01 6, 직육면체　　　**02** 실선, 점선

03

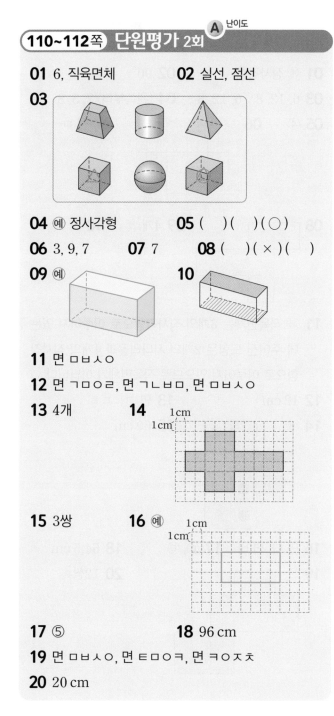

04 예 정사각형　　　**05** ( )( )(○)

06 3, 9, 7　　**07** 7　　**08** ( )(×)( )

09 예

10

11 면 ㅁㅂㅅㅇ

12 면 ㄱㅁㅇㄹ, 면 ㄱㄴㅂㅁ, 면 ㅁㅂㅅㅇ

13 4개　　**14**

15 3쌍　　**16** 예

17 ⑤　　　　　　**18** 96 cm

19 면 ㅁㅂㅅㅇ, 면 ㅌㅁㅇㅋ, 면 ㅋㅇㅈㅊ

20 20 cm

03 정육면체는 직육면체라고 말할 수 있습니다.

08 가운데 그림은 전개도를 접었을 때 겹치는 면이
있으므로 정육면체의 전개도가 아닙니다.

13 색칠한 면과 수직인 면은 면 ㄱㄴㅂㅁ, 면 ㄴㅂㅅㄷ,
면 ㄷㅅㅇㄹ, 면 ㄱㅁㅇㄹ로 모두 4개입니다.

14 전개도를 접었을 때 주어진 직육면체가 만들어지
도록 점선을 그려 넣습니다.

15 직육면체에서 서로 평행한 면은 모양과 크기가
같으므로 3쌍입니다.

16 색칠한 면과 평행한 면은 모양과 크기가 같으므로
가로가 6 cm, 세로가 3 cm인 직사각형입니다.

17 ⑤ 직사각형은 정사각형이 아니므로 직육면체는
정육면체라고 말할 수 없습니다.

18 정육면체는 모서리가 12개이고 길이가 모두 같습
니다. ⇨ 8×12=96 (cm)

19 전개도를 접었을 때 마주 보는 면을 찾아서 씁니다.

20 면 ㅌㅁㅇㅋ은 가로가 4 cm, 세로가 6 cm인 직
사각형이므로 네 변의 길이의 합은
4+6+4+6=20 (cm)입니다.

01 ①, ④　　　**02** ㄹ

03 (왼쪽부터) 4, 5　　**04** 희진

05　　　**06** ㄴ　　　**07** ③

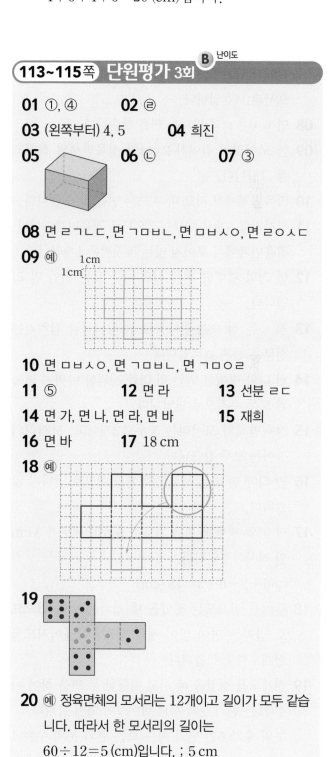

08 면 ㄹㄱㄴㄷ, 면 ㄱㅁㅂㄴ, 면 ㅁㅂㅅㅇ, 면 ㄹㅇㅅㄷ

09 예

10 면 ㅁㅂㅅㅇ, 면 ㄱㅁㅂㄴ, 면 ㄱㅁㅇㄹ

11 ⑤　　　**12** 면 라　　**13** 선분 ㄹㄷ

14 면 가, 면 나, 면 라, 면 바　　**15** 재희

16 면 바　　**17** 18 cm

18 예

19

20 예 정육면체의 모서리는 12개이고 길이가 모두 같습
니다. 따라서 한 모서리의 길이는
60÷12=5 (cm)입니다. ; 5 cm

02 ㉠, ㉡ 실선과 점선을 잘못 그렸습니다.
　　㉢ 보이지 않는 모서리를 그리지 않았습니다.

03 직육면체에서 평행한 모서리는 길이가 같습니다.

04 직육면체의 면은 직사각형이고 정육면체의 면은 정사각형입니다.
　　정사각형은 직사각형이라고 할 수 있으므로 정육면체는 직육면체라고 할 수 있습니다.

05 직육면체에서 보이지 않는 모서리는 3개입니다.

06 ㉡은 색칠한 면과 평행한 면입니다.

07 평행한 모서리는 길이가 같으므로 모서리 ㄱㅁ과 길이가 같은 모서리는 모서리 ㄴㅂ, 모서리 ㄷㅅ, 모서리 ㄹㅇ입니다.

08 면 ㄴㅂㅅㄷ과 만나는 면을 찾습니다.

09 한 모서리의 길이가 2 cm인 정육면체의 전개도를 그립니다.

10 직육면체에서 서로 마주 보는 면을 찾아 씁니다.

11 정사각형 6개로 이루어졌으므로 정육면체입니다.
　　정육면체에서 보이지 않는 꼭짓점은 1개입니다.

12 면 가와 평행한 면은 서로 마주 보는 면인 면 라입니다.

13 점 ㄴ은 점 ㄹ과 만나므로 선분 ㄴㄷ과 겹쳐지는 선분은 선분 ㄹㄷ입니다.

14 면 다와 평행한 면인 면 마를 제외한 나머지 면들과 모두 수직으로 만납니다.

15 정육면체의 모서리는 모두 12개이고, 모서리의 길이는 모두 같습니다.

16 면 다와 면 바는 서로 평행한 면이므로 만나지 않습니다.

17 면 ㉮와 평행한 면은 가로가 6 cm, 세로가 3 cm인 직사각형입니다.
　　⇨ 6＋3＋6＋3＝18 (cm)

18 주어진 전개도는 접었을 때 겹치는 면이 있으므로 겹치는 면이 없이 정육면체가 만들어지도록 전개도를 완성합니다.

19 전개도를 접었을 때 서로 평행한 두 면을 찾아 마주 보는 면의 눈의 수의 합이 7이 되게 합니다.
　　눈의 수가 6인 면과 마주 보는 면의 눈의 수는 1이고 2인 면과 마주 보는 면의 눈의 수는 5입니다.

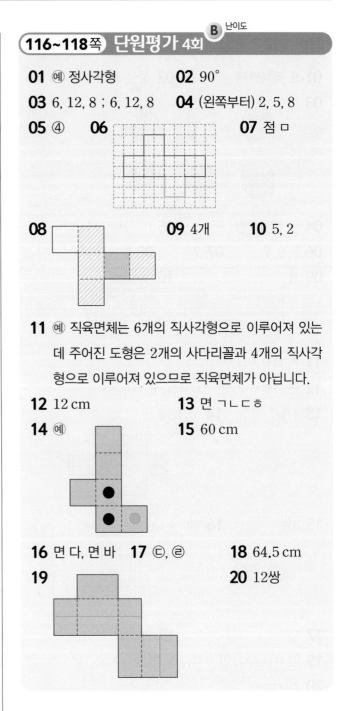

116~118쪽 단원평가 4회 Ⓑ 난이도

01 ⑩ 정사각형　　　　**02** 90°

03 6, 12, 8 ; 6, 12, 8　　**04** (왼쪽부터) 2, 5, 8

05 ④　**06**　　　　　　　　　**07** 점 ㅁ

08　　　　　　**09** 4개　　**10** 5, 2

11 ⑩ 직육면체는 6개의 직사각형으로 이루어져 있는데 주어진 도형은 2개의 사다리꼴과 4개의 직사각형으로 이루어져 있으므로 직육면체가 아닙니다.

12 12 cm　　　　　　**13** 면 ㄱㄴㄷㅎ

14 ⑩　　　　　　　　**15** 60 cm

16 면 다, 면 바　**17** ㉢, ㉣　　**18** 64.5 cm

19　　　　　　　　　　　　**20** 12쌍

02 직육면체에서 만나는 면은 모두 수직이므로 면 ㉮와 면 ㉯가 만나서 이루는 각은 90°입니다.

03 직육면체와 정육면체는 면, 모서리, 꼭짓점의 수가 각각 같습니다.

04 접었을 때 겹쳐지는 선분의 길이와 평행한 선분의 길이는 각각 같습니다.

05 ① 직육면체에서 서로 평행한 면은 3쌍입니다.
　　② 면의 크기가 모두 같은 것은 정육면체입니다.
　　③ 정육면체의 겨냥도에서 보이는 모서리는 9개입니다.

⑤ 직육면체의 면의 모양은 직사각형이고 직사각형은 정사각형이라고 할 수 없으므로 직육면체는 정육면체라고 말할 수 없습니다.

06 면이 5개만 그려져 있으므로 점선인 선분에 이어서 면을 1개 더 그립니다.

08 색칠한 면과 서로 마주 보는 면을 제외하고 빗금을 긋습니다.

09 정육면체에서 한 면과 평행한 면은 1개이고 수직인 면은 4개입니다.

10 모서리의 길이는 5 cm, 3 cm, 2 cm로 세 종류입니다.

ⓒ은 가장 짧은 모서리이므로 2입니다.

㉠은 가장 긴 모서리이므로 5입니다.

12 면 ㉮는 가로가 4 cm, 세로가 2 cm인 직사각형입니다.

⇨ 4+2+4+2=12 (cm)

14 전개도를 접었을 때의 모양을 생각해 봅니다.

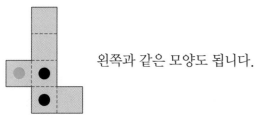

왼쪽과 같은 모양도 됩니다.

15 정육면체는 모서리 12개의 길이가 모두 같습니다.

⇨ 5×12=60 (cm)

16 면 나와 면 라에 각각 평행한 면인 면 마와 면 가를 제외한 면은 면 나와 면 라에 공통으로 수직인 면입니다.

17 ⓒ 직육면체의 면은 직사각형이고 정육면체의 면은 정사각형입니다.

㉣ 직육면체의 모서리의 길이는 4개씩 3쌍이 같고 정육면체의 모서리의 길이는 모두 같습니다.

18 보이는 모서리는 8 cm, 6 cm, 7.5 cm가 각각 3개씩이므로 보이는 모서리의 길이의 합은

(8+6+7.5)×3=21.5×3=64.5 (cm)입니다.

19 전개도를 접었을 때 겹쳐지는 선분을 생각하여 색 테이프가 지나간 자리를 그립니다.

20 한 모서리에서 만나는 두 면은 서로 수직이므로 서로 수직인 면은 모서리의 수와 같은 12쌍입니다.

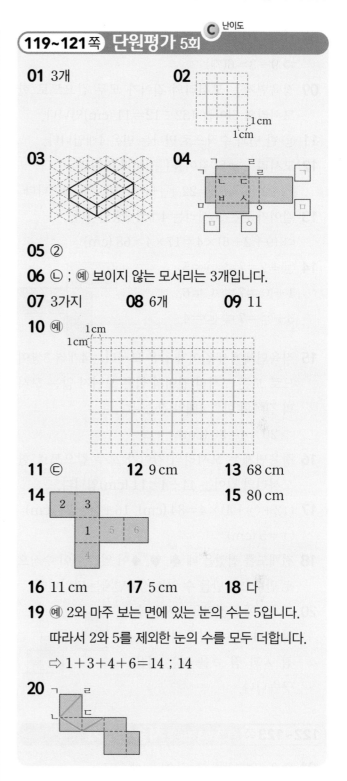

119~121쪽 단원평가 5회 Ⓒ 난이도

01 3개

02

03

04

05 ②

06 ⓒ ; 예 보이지 않는 모서리는 3개입니다.

07 3가지   **08** 6개   **09** 11

10 예

11 ⓒ   **12** 9 cm   **13** 68 cm

14

15 80 cm

16 11 cm   **17** 5 cm   **18** 다

19 예 2와 마주 보는 면에 있는 눈의 수는 5입니다.

따라서 2와 5를 제외한 눈의 수를 모두 더합니다.

⇨ 1+3+4+6=14 ; 14

20

02 정육면체는 모든 면이 정사각형이고 한 모서리의 길이가 3 cm이므로 한 변의 길이가 3 cm인 정사각형을 그립니다.

04 전개도를 접었을 때 만나는 꼭짓점을 찾습니다.

05 ② 전개도를 접었을 때 겹치는 면이 있습니다.

07 모양과 크기가 같은 면은 3쌍이므로 적어도 3가지 색깔의 색종이가 필요합니다.

08 보이는 모서리: 9개, 보이지 않는 모서리: 3개

⇨ 9−3=6(개)

09 정육면체는 모서리의 길이가 모두 같으므로 한 모서리의 길이는 132÷12=11 (cm)입니다.

11 ㉢ 한 면과 수직으로 만나는 면은 4개입니다.

12 모서리 ㄴㄷ의 길이를 □ cm라고 하면

□+2+□+2=22, □+□=18, □=9입니다.

13 길이가 같은 모서리는 4개씩 3쌍입니다.

⇨ (9+2+6)×4=17×4=68 (cm)

14 ㉠+2=7 ⇨ ㉠=5,

1+㉡=7 ⇨ ㉡=6,

3+㉢=7 ⇨ ㉢=4

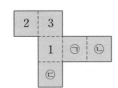

15 직육면체에서 길이가 같은 모서리는 4개씩 3쌍이 므로 모든 모서리 길이의 합은 보이지 않는 모서리 길이의 합의 4배와 같습니다.

⇨ 20×4=80 (cm)

16 정육면체는 모서리의 길이가 모두 같으므로 한 모서리의 길이는 44÷4=11 (cm)입니다.

17 (12+㉠+4)×4=84 (cm), 16+㉠=21 (cm),

㉠=5 (cm)

18 전개도를 접었을 때 ♣, ♥, ◆이 있는 면이 수직으로 만나므로 만들 수 있는 정육면체는 다입니다.

20 전개도에 꼭짓점을 표시한 후 점 ㄴ과 점 ㄹ, 점 ㄴ과 점 ㅅ, 점 ㅅ과 점 ㄹ을 잇는 선을 긋습니다.

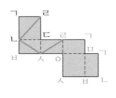

122~123쪽 단계별로 연습하는 **서술형평가**

01 ❶ 3 ; 없고에 ○표, 같습니다에 ○표

❷ 선분 ㄹㄷ

❸ 예 모양과 크기가 같은 면이 2쌍이고 겹치는 면이 있으며 접었을 때 만나는 모서리의 길이가 다르므로 직육면체의 전개도가 될 수 없습니다.

02 ❶ 점선에 ○표, 3 ; 3개 ❷ 같습니다에 ○표

❸ 12 cm

03 ❶ 4, 3 ❷ (왼쪽부터) 6, 10 ❸ 80 cm

04 ❶ 12개 ❷ 96 cm ❸ 96, 12, 8 ; 8 cm

01 ❷ 직육면체를 만들었을 때 선분 ㄴㄷ과 겹쳐지는 선분은 선분 ㄹㄷ입니다.

02 ❸ (한 모서리의 길이)

=(보이지 않는 모서리 길이의 합)÷3

=36÷3=12 (cm)

03 ❷ 서로 다른 세 모서리의 길이가 각각 6 cm, 10 cm, 4 cm인 직육면체가 만들어집니다.

❸ (6+10+4)×4=80 (cm)

04 ❷ 만들 정육면체의 모든 모서리 길이의 합은 직육면체의 모든 모서리 길이의 합과 같습니다.

⇨ (8+5+11)×4=24×4=96 (cm)

❸ (정육면체의 한 모서리의 길이)

=96÷12=8 (cm)

124~125쪽 풀이 과정을 직접 쓰는 **서술형평가**

01 예 서로 평행한 면은 모양과 크기가 같아야 하는데 면 ㄱㄴㅍㅎ과 평행한 면 ㅂㅅㅇㅈ은 모양과 크기가 다르므로 직육면체의 전개도가 될 수 없습니다.

02 예 보이지 않는 모서리는 3개이고 모서리의 길이는 모두 같습니다.

따라서 한 모서리의 길이는 48÷3=16 (cm)입니다. ; 16 cm

03 예 직육면체는 길이가 같은 모서리가 4개씩 3쌍이 있습니다.

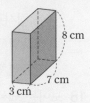

만들어지는 직육면체는 오른쪽과 같으므로 모든 모서리 길이의 합은 (3+7+8)×4=72 (cm)입니다. ; 72 cm

04 예 (직육면체의 모든 모서리 길이의 합)

=(6+9+3)×4=18×4=72 (cm)

정육면체는 12개의 모서리의 길이가 모두 같습니다. 따라서 혜은이가 만들 정육면체의 한 모서리의 길이는 72÷12=6 (cm)입니다. ; 6 cm

배점	채점기준
상	만나는 모서리의 길이 또는 서로 평행한 면을 찾아 이유를 바르게 씀
중	이유를 썼으나 부족함
하	문제를 전혀 해결하지 못함

02

배점	채점기준
상	보이지 않는 모서리의 길이를 이용하여 답을 바르게 구함
중	풀이 과정이 부족하나 답은 맞음
하	문제를 전혀 해결하지 못함

03

배점	채점기준
상	만든 직육면체의 모양을 이용하여 답을 바르게 구함
중	풀이 과정이 부족하나 답은 맞음
하	문제를 전혀 해결하지 못함

04

배점	채점기준
상	직육면체의 모든 모서리의 길이의 합을 구하여 답을 바르게 구함
중	풀이 과정이 부족하나 답은 맞음
하	문제를 전혀 해결하지 못함

126쪽 밀크티 성취도평가 오답 베스트 5

01 ③　　　**02** ⓒ　　　**03** ㉠
04 ⓛ　　　**05** 60 cm

02 ㉠ 직육면체는 꼭짓점이 8개입니다.
ⓛ 모서리의 길이가 모두 같은 것은 정육면체입니다.
ⓒ 직육면체와 정육면체는 면의 수가 6개로 같습니다.

03 정육면체는 6개의 면으로 둘러싸인 도형인데 ㉠은 5개의 면만 있으므로 정육면체의 전개도가 아닙니다.

04 ⓛ 정육면체는 정사각형 6개로 둘러싸여 있습니다.

05 보이는 모서리의 길이는 6 cm가 3개, 4 cm가 3개, 10 cm가 3개입니다.
⇨ $(6+4+10) \times 3 = 20 \times 3 = 60$ (cm)

6 평균과 가능성

129쪽 쪽지시험 1회

01 32　　　**02** 4　　　**03** 32, 4, 8
04 평균　　　**05** ( )　　　**06** 7
　　　　　　　 ( )
　　　　　　　 (○)
07 7　　　　　　　　**08** 5, 30, 6
09 0, 5, 20, 4　　　**10** 8, 4, 24, 6

01 $9+4+11+8=32$(회)

130쪽 쪽지시험 2회

01 38, 40, 38　　**02** 40, 4, 152, 38
03 88　　　**04** 87　　　**05** 승민
06 12　　　**07** 15　　　**08** 배
09 5, 2000　　**10** 450

06 $324 \div 27 = 12$ (kg)
07 $330 \div 22 = 15$ (kg)
09 (자료의 값을 모두 더한 수)=(평균)×(자료의 수)
이므로 5일 동안 한 줄넘기 횟수는
$400 \times 5 = 2000$(번)입니다.
10 (목요일에 한 줄넘기 횟수)
$=2000-(350+300+500+400)=450$(번)

131쪽 쪽지시험 3회

01 불가능하다, 확실하다　**02** 반반이다에 ○표
03 확실하다에 ○표　　　**04** 불가능하다에 ○표
05 불가능하다
06 불가능하다: 영선, ~ 아닐 것 같다: 희진, 확실하다: 영민
07 영민, 희진, 영선　　**08** 세형
09 민찬　　　　　　　**10** 세형, 건우, 민찬

02 동전을 던지면 그림 면 또는 숫자 면이 나올 수 있으므로 가능성은 '반반이다'입니다.
03 12월은 31일까지 있으므로 가능성은 '확실하다'입니다.

132쪽 쪽지시험 4회

01 0 　　　　**02** 1 　　　　**03** $\frac{1}{2}$

04 0 　　　　**05** 1

06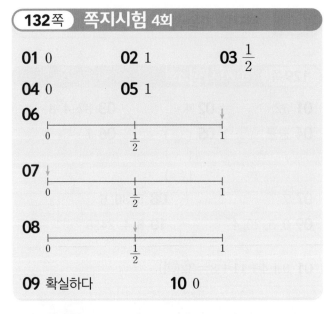

07

08

09 확실하다 　　　　**10** 0

---

01 회전판 가는 전체가 파란색이므로 화살이 빨간색에 멈출 가능성은 '불가능하다'입니다. ⇨ 0

03 회전판 나는 파란색과 빨간색이 반반이므로 화살이 빨간색에 멈출 가능성은 '반반이다'입니다. ⇨ $\frac{1}{2}$

05 회전판 다는 전체가 빨간색이므로 화살이 빨간색에 멈출 가능성은 '확실하다'입니다. ⇨ 1

09 상자에는 당첨 제비만 들어 있으므로 뽑은 제비가 당첨 제비일 가능성은 '확실하다'입니다.

10 뽑은 제비가 당첨 제비가 아닐 가능성은 '불가능하다'입니다. ⇨ 0

---

07 읽은 동화책 수의 평균은 막대그래프에서 고르게 한 막대의 칸 수와 같습니다.

08 주사위의 눈의 수는 1부터 6까지의 수이므로 7은 나올 수 없습니다.

10 (평균)=180÷5=36(명)

12 1동: 1080÷24=45(살),
2동: 1020÷20=51(살)

15 화살이 노란색에 멈출 가능성이 더 높은 회전판은 노란색이 더 넓으므로 재철이가 만든 회전판입니다.

16 흰색 바둑돌을 꺼낼 가능성은 '불가능하다'이므로 수로 표현하면 0입니다.

17 (73+82+84+90+68+87+77+94+80
+95)÷10
=830÷10=83(점)

18 5학년 참가자 수의 평균:
(50+53+46+43)÷4=192÷4=48(명)
6학년 참가자 수의 평균:
(54+48+52+46)÷4=200÷4=50(명)

19 전체 학생 수가 같으므로 평균이 더 높은 6학년이 참가자 수가 더 많다고 할 수 있습니다.

20 12월은 31일까지 있으므로 한 달 동안 한 윗몸 말아 올리기는 모두 26×31=806(번)입니다.

133~135쪽 단원평가 1회 A 난이도

01 4명 　　　　**02** 20개 　　　　**03** 예 5개

04 ㉢ 　　　　**05**

(권)					
10					
5					
0					
책 수 \ 이름	성우	민서	주현	재경	석진

06 5칸 　　　　**07** 5권

08 불가능하다에 ○표 　　　　**09** 33, 180

10 36명 　　　　**11** 확실하다 　　　　**12** 45살, 51살

13 2동 　　　　**14** 적습니다. 　　　　**15** 재철

16 0 　　　　**17** 83점 　　　　**18** 48명, 50명

19 6학년 　　　　**20** 806

136~138쪽 단원평가 2회 A 난이도

01 평균 　　　　**02**

03 3개 　　　　**04** 3 L 　　　　**05** 4명

06 48 kg 　　　　**07** 12 kg

08 (왼쪽부터) ~아닐 것 같다, 확실하다

09 5일 　　　　**10** 20 ℃ 　　　　**11** 54 kg

12 91점 　　　　**13** 낮습니다. 　　　　**14** $\frac{1}{2}$

15 2120 kg 　　　　**16** 530 kg 　　　　**17** ㉡

18 ㉠ 　　　　**19** 1 　　　　**20** 92짐

04 정선이가 지난달에 마신 우유의 양의 평균은 종이 띠를 4등분한 것 중 하나와 같으므로 3 L입니다.

10 $(20+23+19+21+17)\div5$
$=100\div5=20\,(℃)$

11 $(76+54+62+46+32)\div5$
$=270\div5=54\,(kg)$

12 $(96+90+89+88+92)\div5$
$=455\div5=91(점)$

14 100원짜리 동전을 던져서 숫자 면이 나올 가능성은 '반반이다'이므로 수로 표현하면 $\frac{1}{2}$입니다.

15 $530\times4=2120\,(kg)$

16 $2120-(460+650+480)$
$=2120-1590=530\,(kg)$

17 동전을 던지면 숫자 면이나 그림 면이 나오므로 동전을 3번 던질 때 3번 모두 그림 면이 나오지는 않을 것 같습니다.

18 ㉡ 가능성은 '반반이다'입니다.

19 주머니에 들어 있는 공은 모두 흰색이므로 꺼낸 공이 흰색일 가능성은 '확실하다'입니다. ⇨ 1

20 네 과목의 총점이 $86\times4=344(점)$이므로 수학은 $344-(84+77+91)=92(점)$을 받았습니다.

139~141쪽 **단원평가 3회** ⒝ 난이도

01 13, 13, 13, 13, 13, 13   **02** 13

03 $\frac{1}{2}\left(=\frac{2}{4}\right)$

04

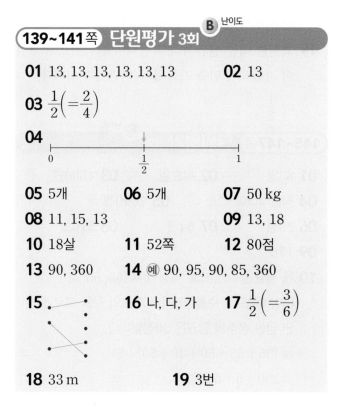

05 5개   **06** 5개   **07** 50 kg
08 11, 15, 13   **09** 13, 18
10 18살   **11** 52쪽   **12** 80점
13 90, 360   **14** ⒜ 90, 95, 90, 85, 360
15   **16** 나, 다, 가   **17** $\frac{1}{2}\left(=\frac{3}{6}\right)$

18 33 m   **19** 3번

20 ⒜ (네 명의 점수의 합)=$94\times4=376(점)$
⇨ (은채의 점수)=$376-(96+87+95)$
$=376-278=98(점)$; 98점

05 정국이의 모형 1개를 세현이의 모형으로, 민아의 모형 2개를 남준이의 모형으로 옮기면 5개씩으로 고르게 됩니다.

06 한 시간 동안 한 사람당 접은 종이학 수의 평균은 고르게 만든 모형의 수와 같습니다.

07 $(48+47+53+52)\div4=200\div4=50\,(kg)$

09 회원 5명의 나이가 한 살씩 더 늘어난 것과 같으므로 전체 회원 나이의 총합은 $13+5=18(살)$ 늘어났습니다.

10 새로운 회원의 나이는 늘어난 전체 회원 나이의 총합과 같습니다.

11 하루에 $260\div5=52(쪽)$씩 읽어야 합니다.

12 $(85+90+85+60)\div4=320\div4=80(점)$

13 다음 시험에서 평균 $80+10=90(점)$이 되기 위해서는 총점이 $90\times4=360(점)$이 되어야 합니다.

14 4과목의 총점이 360점이 되도록 합니다.

15 · 3월이 5월보다 먼저이므로 '내년에는 3월이 5월보다 빨리 올 것입니다.'일 가능성은 '확실하다'입니다.

· 2와 4를 곱하면 8이므로 '2와 4를 곱하면 10이 될 것입니다.'일 가능성은 '불가능하다'입니다.

· 주사위 눈의 수가 5 이상인 경우는 5, 6이므로 '1부터 6까지의 눈이 있는 주사위 한 개를 굴리면 나오는 눈의 수가 5 이상일 것입니다.'일 가능성은 '~아닐 것 같다'입니다.

16 흰색이 넓은 회전판부터 차례로 씁니다.

17 ♣와 ♥가 3장씩 있으므로 ♣의 카드를 뽑을 가능성은 '반반이다'입니다.
⇨ $\frac{1}{2}\left(=\frac{3}{6}\right)$

18 $(32+36+30+32+35)\div5$
$=165\div5=33\,(m)$

19 33 m보다 낮은 기록은 1회, 3회, 4회로 모두 3번입니다.

정답 및 풀이

142~144쪽 단원평가 4회 Ⓑ 난이도

01 해수   **02** 30개   **03** 반반이다

04 $\dfrac{1}{2}\left(=\dfrac{2}{4}\right)$ **05** 61권   **06** 적습니다.

07 ㉡, ㉢, ㉠

08

```
0        1/2        1
```

09 11160타   **10** 10 m², 9 m²

11 지훈이네 학교   **12** 연아

13 3시간, 4시간   **14** 선영이네 모둠

15 26개   **16** 27개   **17** 911400원

18 가   **19** $\dfrac{1}{2}$

20 ⑩ (친구들의 키의 평균)
= (147+152+142+154+150)÷5=745÷5
=149 (cm)
따라서 키가 149 cm보다 큰 사람은 152 cm인 소민, 154 cm인 승진, 150 cm인 수경으로 모두 3명입니다. ; 3명

01 한 상자당 클립 수는 평균과 같습니다.

02 각 상자의 클립 수 29, 31, 30, 32, 28을 고르게 하면 30, 30, 30, 30, 30이 되므로 한 상자당 클립 수는 평균 30개입니다.

03 나올 수 있는 구슬의 개수는 1개, 2개, 3개, 4개로 4가지이고 이중 꺼낸 구슬의 개수가 짝수인 경우는 2개, 4개로 2가지이므로 짝수일 가능성은 '반반이다'입니다.

04 꺼낸 구슬의 개수가 홀수인 경우는 1개, 3개로 2가지이므로 홀수일 가능성은 '반반이다'입니다.
⇨ $\dfrac{1}{2}\left(=\dfrac{2}{4}\right)$

05 (57+68+54+65)÷4=244÷4=61(권)

06 준호는 57권으로 평균인 61권보다 적습니다.

07 ㉠ 불가능하다 ㉡ 확실하다 ㉢ 반반이다

08 화살이 검은색에 멈출 가능성은 '반반이다'입니다.
⇨ $\dfrac{1}{2}$

09 1시간=60분
⇨ (한 시간 동안 치는 타자 수)
=186×60=11160(타)

10 지훈이네: 6000÷600=10 (m²),
연준이네: 6750÷750=9 (m²)

11 10 m²>9 m²이므로 지훈이네 학교의 학생들이 한 명당 운동장을 더 넓게 사용할 수 있습니다.

12 두 모둠의 사람 수가 다르므로 전체 컴퓨터 사용 시간으로 비교할 수 없습니다.

13 진수네 모둠: (3+2+3+4+3)÷5
=15÷5=3(시간)
선영이네 모둠: (1+5+4+6)÷4
=16÷4=4(시간)

14 3시간<4시간이므로 컴퓨터 사용 시간의 평균이 더 긴 선영이네 모둠이 컴퓨터 사용 시간이 더 길었다고 볼 수 있습니다.

15 (15+45+39+22+9)÷5=130÷5=26(개)

16 10월에 불량품 수는 5월부터 9월까지 불량품 수의 평균보다 많아야 하므로 적어도 27개입니다.

17 3주는 7×3=21(일)입니다.
⇨ (음료수를 판 돈)=350×124×21
=911400(원)

18 회전판 가는 전체가 파란색이므로 화살이 빨간색에 멈추는 것이 '불가능하다'입니다.

19 회전판 나는 빨간색과 파란색이 반반이므로 화살이 파란색에 멈출 가능성이 '반반이다'입니다.
⇨ $\dfrac{1}{2}$

145~147쪽 단원평가 5회 Ⓒ 난이도

01 83명   **02** 목요일   **03** 4500원
04 적습니다에 ○표   **05** 1600개
06 25명   **07** 64개   **08** 510초
09 17초
10 ⑩ 평균을 50점으로 예상한 후 (55, 55, 40), (50, 50)으로 수를 짝 지어 자료의 값을 고르게 하면 얻은 점수의 평균은 50점입니다.
⑩ (55+55+50+40+50)÷5
=250÷5=50(점)

46 • 수학 5-2

11 6개 　　**12** 24개 　　**13** 4개

14 ㉡ 　　**15** 오후 5시 55분

16 반반이다 ; $\frac{1}{2}\left(=\frac{3}{6}\right)$ **17** 예

18 보라색, 분홍색, 파란색 　　**19** 34번

20 예 (연경이가 하루에 읽은 평균 쪽수)
　　＝546÷7＝78(쪽),
　　(성준이가 하루에 읽은 평균 쪽수)
　　＝304÷4＝76(쪽)
　　따라서 하루에 읽은 평균 쪽수는 연경이가
　　78－76＝2(쪽) 더 많습니다. ; 연경, 2쪽

02 평균인 83명에 가장 가까운 날은 입장객 수가 84명
　　인 목요일입니다.

04 5월에 저금한 금액이 4개월 동안 저금한 금액의
　　평균인 4500원보다 적을 때 5개월 동안 저금한
　　금액의 평균이 4개월 동안 저금한 금액의 평균보
　　다 적어집니다.

05 8000÷5＝1600(개)

06 (25＋26＋24＋24＋26)÷5
　　＝125÷5＝25(명)

07 1600÷25＝64(개)

08 (16.6×15)＋(17.4×15)
　　＝249＋261＝510(초)

09 510÷(15＋15)＝510÷30＝17(초)

11 (6＋7＋9＋5＋3)÷5＝30÷5＝6(개)

12 남주네 모둠이 접은 종이배 수의 평균도 6개이므
　　로 접은 종이배는 모두 6×4＝24(개)입니다.

13 24－(5＋8＋7)＝4(개)

14 100번 중 빨간색과 파란색은 25번씩으로 같고
　　노란색이 50번으로 반을 차지하므로 일이 일어날
　　가능성이 가장 비슷한 것은 ㉡입니다.

15 3일 동안 운동을 해야 하는 시간은 30×3＝90(분)
　　입니다.
　　월: 20분, 화: 30분을 운동했으므로 평균 30분이
　　되기 위해서는 수요일에 90－(20＋30)＝40(분)
　　을 운동해야 합니다.

따라서 오후 5시 15분에서 40분 후인 오후 5시
55분까지 운동을 해야 합니다.

16 바둑돌의 개수는 1개, 2개, 3개, 4개, 5개, 6개로
6가지가 될 수 있고 이중에서 2의 배수는 2개, 4개,
6개이므로 3가지입니다.
따라서 꺼낸 바둑돌의 개수가 2의 배수일 가능성
은 '반반이다'이고 수로 표현하면 $\frac{1}{2}\left(=\frac{3}{6}\right)$입니다.

17 회전판에서 3칸을 파란색으로 색칠하면 꺼낸 바
둑돌의 개수가 2의 배수일 가능성과 회전판의 화
살이 파란색에 멈출 가능성이 같습니다.

18 • 화살이 보라색에 멈출 가능성이 가장 높으므로
가장 넓은 부분인 ㉠에 보라색을 칠합니다.
　• 화살이 파란색에 멈출 가능성이 분홍색에 멈출
가능성보다 높으므로 두 번째로 넓은 부분인
㉢에 파란색, 가장 좁은 부분인 ㉡에 분홍색을
칠합니다.

19 29＋30＋26＋35＋31＋25＋□＝30×7,
176＋□＝210이므로 □＝34입니다.
따라서 마지막에 적어도 34번을 넘어야 합니다.

---

01 ❶ 128명 　❷ 4개 　❸ 32명

02 ❶ 47, 4, 168, 42 ; 42 kg
　　❷ 36, 44, 40, 5, 205, 41 ; 41 kg
　　❸ 준하네 모둠

03 ❶ 35, 175 ; 175명 　❷ 34명

04 ❶ 확실하다 ; 확실하다 　❷ 반반이다 ; 반반이다.
　　❸ 가 상자

01 ❶ 23＋34＋43＋28＝128(명)
　　❷ 장미 마을, 하늘 마을, 달빛 마을, 국화 마을로
　　　4개입니다.
　　❸ 128÷4＝32(명)

02 ❶ (평균)
　　　＝(자료의 값을 모두 더한 수)÷(자료의 수)

❸ 두 모둠의 몸무게의 평균을 비교하면
$42\,\text{kg} > 41\,\text{kg}$이므로 준하네 모둠의 몸무게의 평균이 더 무겁습니다.

03 ❶ (자료의 값을 모두 더한 수)
$=$(평균)$\times$(자료의 수)

❷ $175-(38+35+36+32)=34$(명)

04 ❸ 꺼낸 공이 흰색일 가능성을 표현한 말을 비교
'확실하다'가 '반반이다'보다 가능성이 더 높으므로 꺼낸 공이 흰색일 가능성이 더 높은 상자는 가 상자입니다.

150~151쪽 풀이 과정을 직접 쓰는 **서술형평가**

01 예 $(20+30+25+40+35)\div5=150\div5$
$=30$(쪽)이므로 하루에 읽은 독서량의 평균은 30쪽입니다. ; 30쪽

02 예 (희정이네 가족의 키의 평균)
$=(176+154+138+132)\div4=600\div4$
$=150\,(\text{cm})$
(규홍이네 가족의 키의 평균)
$=(182+154+146+137+126)\div5$
$=745\div5=149\,(\text{cm})$
따라서 $150\,\text{cm} > 149\,\text{cm}$이므로 희정이네 가족의 키의 평균이 더 큽니다. ; 희정이네 가족

03 예 (기록의 합)$=98\times5=490$(회)
(희열이의 기록)$=490-(94+90+104+86)$
$=116$(회)
따라서 기록이 가장 좋은 학생은 희열이고 기록은 116회입니다. ; 116회

04 예 가 상자에서 꺼낸 카드가 ♣일 가능성은 '반반이다'이고 나 상자에서 꺼낸 카드가 ♣일 가능성은 '불가능하다'이므로 꺼낸 카드가 ♣일 가능성이 더 높은 상자는 가 상자입니다. ; 가 상자

01

배점	채점기준
상	식을 세워 답을 바르게 구함
중	풀이 과정이 부족하나 답은 맞음
하	문제를 전혀 해결하지 못함

02

배점	채점기준
상	두 가족의 키의 평균을 구하여 답을 바르게 구함
중	풀이 과정이 부족하나 답은 맞음
하	문제를 전혀 해결하지 못함

03

배점	채점기준
상	기록의 합을 구하여 답을 바르게 구함
중	풀이 과정이 부족하나 답은 맞음
하	문제를 전혀 해결하지 못함

04

배점	채점기준
상	두 상자에서 카드를 꺼낼 가능성을 비교하여 답을 바르게 구함
중	풀이 과정이 부족하나 답은 맞음
하	문제를 전혀 해결하지 못함

152쪽 밀크티 성취도평가 **오답 베스트 5**

01 3개 **02** 8개 **03** ㉡, ㉢, ㉠
04 25명 **05** 12톤

02 (평균)$=\dfrac{9+14+3+6}{4}=\dfrac{32}{4}=8$(개)

03 ㉠ 노란색 구슬만 3개 들어 있는 주머니에서 꺼낸 구슬이 흰색일 거야. ⇨ '불가능하다'
㉡ 오늘은 금요일이니까 내일은 토요일이야. ⇨ '확실하다'
㉢ 주사위를 던지면 주사위 눈의 수가 4보다 작은 수가 나올 거야. ⇨ '반반이다.'

04 5학년 학급별 학생 수의 평균이 22명이므로 태훈이네 학교 5학년 학생 수는 $22\times5=110$(명)입니다. 따라서 3반의 학생 수는
$110-(22+19+20+24)=110-85=25$(명)입니다.

05 귤 생산량의 평균이 17톤이므로 가, 나, 다, 라 과수원의 귤 생산량은 모두 $17\times4=68$(톤)입니다.
따라서 나 과수원의 귤 생산량은
$68-(20+17+19)=68-56=12$(톤)입니다.

단계별 수학 전문서

[개념·유형·응용]

수학의 해법이 풀리다!

해결의 법칙
시리즈

단계별 맞춤 학습

개념, 유형, 응용의 단계별 교재로
교과서 차시에 맞춘 쉬운 개념부터
응용·심화까지 수학 완전 정복

혼자서도 OK!

이미지로 구성된 핵심 개념과 셀프 체크,
모바일 코칭 시스템과 동영상 강의로
자기주도 학습 및 홈 스쿨링에 최적화

300여 명의 검증

수학의 메카 천재교육 집필진과
300여 명의 교사·학부모의
검증을 거쳐 탄생한 친절한 교재

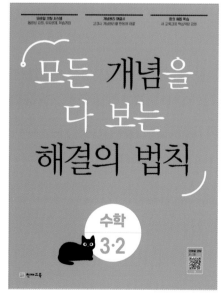

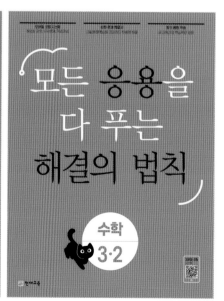

흔들리지 않는 탄탄한 수학의 완성! (초등 1~6학년 / 학기별)

정답은
이안에
있어!

초등학교	학년	반	번
이름